KB086420

Reading
Mentor
joy
2

Longman Reading Mentor joy 2

지은이 교재개발연구소
편집 및 기획 English Nine
발행처 Pearson Education South Asia Pte Ltd.
판매처 inkedu(inkbooks)
전화 02-455-9620(주문 및 고객지원)
팩스 02-455-9619
등록 제13-579호

ISBN 979-11-88228-36-2

Longman

Reading Mentor

Pearson

Reading Mentor Joy 시리즈는 초등학생 및 초보자를 위한 영어 읽기 학습 교재로, 전체 2개의 레벨 총 6권으로 구성되어 있습니다.

이 시리즈는 수준별로 다양한 주제의 글들을 통해서 학습자들의 문장 이해력과 글 독해력 향상을 주요 목표로 하고 있습니다. 또한 어휘와 문맥을 파악하고 글의 특성에 맞는 글 독해력 향상을 위한 체계적인 코너들을 구성하여 전체 내용을 효과적으로 이해할 수 있도록 구성했습니다.

학습자들의 수준에 맞는 다양한 주제의 글들을 통해서 학습에 동기부여를 제공함과 더불어 다양한 배경 지식과 상식을 넓히는 계기가 될 것입니다.

Book 1

Book 2

Book 3

Book 1

Book 2

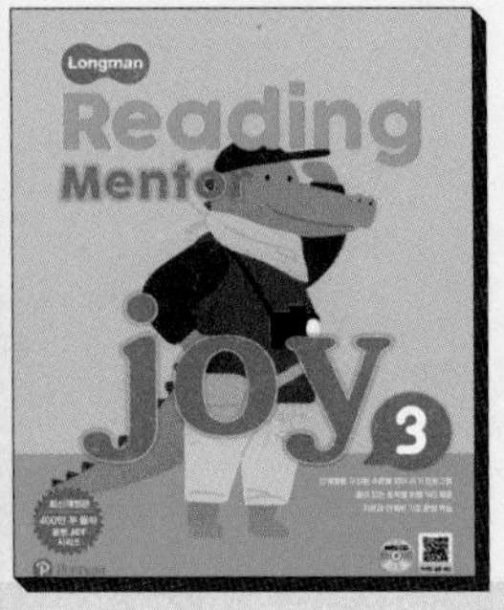

단계별로 구성된 수준별 영어 읽기 프로그램

- 흥미 있는 토픽별 읽을거리
- 문맥을 통한 내용 파악 연습
- 재미있게 영단어 확인 학습
- 스토리 속 숨어 있는 문법 학습
- 다양한 학습 능력을 활용한 문제 구성

Reading Mentor Joy 스토리 소개

Book	Chapter
1	1 **School Life** 학교 생활
	2 **Jobs** 직업
	3 **Landmarks** 랜드마크
	4 **Transportation** 교통
	5 **Activities** 활동
	6 **Music** 음악
2	1 **Science** 과학
	2 **Special Days** 특별한 날
	3 **Food** 음식
	4 **Music and Musicians** 음악과 음악가
	5 **Cultures and Customs** 문화와 관습
	6 **Places** 장소
3	1 **Health** 건강
	2 **Wishes** 소원
	3 **Nature** 자연
	4 **Historical Figures** 역사적 인물
	5 **Earth** 지구
	6 **Stories** 이야기

Syllabus

Reading Mentor Joy는 총 3권으로 구성되어 있습니다. 각 권은 총 6개의 Chapter와 18개의 Unit으로 총 8주의 학습 시간으로 구성되어 있습니다. 따라서 Reading Mentor Joy는 24주의 학습시간으로 구성되어 있고, 각 권마다 워크북을 제공하여 학습 효율을 높이고자 하였습니다.

Month	Week	Book 1	Unit	Contents	Grammar Time
1	1st	Chapter 1 School Life	1	My Class	many, much, a lot of의 쓰임
			2	School Life	wherer과 what의 의미와 쓰임
			3	School Sports Day	like의 의미와 쓰임
	2nd	Chapter 2 Jobs	1	Future Dreams	사람을 의미하는 접미사
			2	Future Job	2개의 단어로 이루어진 동사
	3rd		3	Mr. Jason	시간을 나타내는 전치사
		Chapter 3 Landmarks	1	The Big Bookstore	[How+형용사 ~?]의 쓰임
	4th		2	The Stature of Liberty	대문자를 써야 하는 경우
			3	The Eiffel Tower	최상급의 의미와 쓰임
2	1st	Chapter 4 Transportation	1	By Subway	동명사와 진행형의 의미와 구분
			2	Kinds of Transportation	[What+명사 ~?]의 쓰임
			3	Safety Rules	when과 while의 의미와 쓰임
	2nd	Chapter 5 Activities	1	Paper Airplanes	대명사 it과 they의 의미와 쓰임
			2	Skateboarding	[How+형용사 ~?]에 대한 대답
	3rd		3	Having a Hobby	[to+동사원형]의 의미와 쓰임
		Chapter 6 Music	1	Irene's dream	[동사+동명사]의 쓰임
	4th		2	Musical Instruments	부사의 쓰임과 위치
			3	The School Band	up과 down이 들어간 표현

Month	Week	Book 2	Unit	Contents	Grammar Time
3	1st	Chapter 1 Science	1	Dragonflies	about의 의미와 쓰임
			2	Birds, Mammals, and Insects	형용사와 부사의 형태가 같은 단어들
			3	Facts About Our Teeth	비교급과 최상급
	2nd	Chapter 2 Special Days	1	Halloween	most의 의미와 쓰임
			2	Parents' Day	현재진행형의 의미와 쓰임
	3rd		3	My First Day	조동사 can
		Chapter 3 Food	1	Making Pizza	be going to의 의미와 쓰임

Month	Week	Book2	Unit	Contents	Grammar Time
3	4th	Chapter 3 **Food**	2	Energy from Food	조동사 can의 의문문
			3	Bibimbap	최상급 표현 이해하기
4	1st	Chapter 4 **Music and Musicians**	1	School Choir	전치사 with의 의미와 쓰임
			2	My Favorite Music	so의 의미와 쓰임
			3	Mozart	could의 의미와 쓰임
	2nd	Chapter 5 **Cultures and Customs**	1	Food Culture	have to의 의미와 쓰임
			2	Traditional Clothes	일반동사의 의문문
	3rd		3	Trip to Hong Kong	[Do/Does ~?] 의문문에 대한 대답
		Chapter 6 **Places**	1	Museum	다의어 알아보기
	4th		2	Korea	소유격의 의미와 쓰임
			3	Hotel	부정을 나타내는 단어

Month	Week	Book 3	Unit	Contents	Grammar Time
5	1st	Chapter 1 **Health**	1	Healthy Teeth	접속사 and와 or의 의미와 쓰임
			2	Drinking Water	should의 의미와 쓰임
			3	Regular Exercise	get의 의미와 쓰임
	2nd	Chapter 2 **Wishes**	1	My Wishes	would like to의 의미와 쓰임
			2	An Artist	would like to와 want to의 차이
	3rd		3	Christmas Wishes	동사 send/give의 쓰임
		Chapter 3 **Nature**	1	Deserts	no와 not의 차이
	4th		2	The Sun	비교급 만들기
			3	Polar Bears	as ~ as 비교급
6	1st	Chapter 4 **Historical Figures**	1	Barack Obama	during과 for의 의미와 쓰임
			2	First Man on the Moon	million의 의미와 쓰임
			3	Alfred Nobel	일반동사의 과거형 - 불규칙
	2nd	Chapter 5 **Earth**	1	Asia	명사를 뒤에서 수식하는 경우
			2	The Earth	take의 여러 가지 의미
	3rd		3	Save the Earth	[so that 주어+can ~]의 의미
		Chapter 6 **Stories**	1	The Greedy Dog	셀 수 없는 명사 수 나타내기
	4th		2	The Rabbit and the Turtle	일반동사 과거 부정문 만들기
			3	A Fable	일반동사 과거형의 의문문

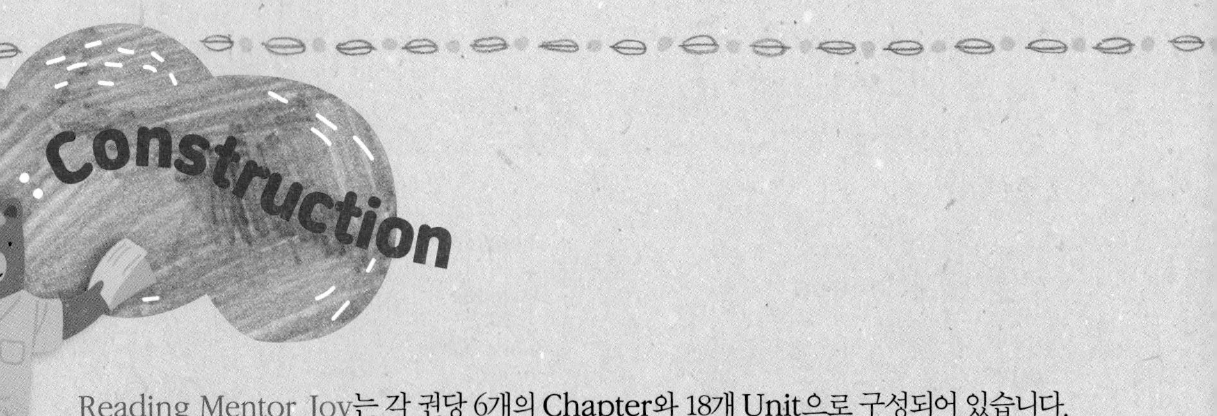

Reading Mentor Joy는 각 권당 6개의 Chapter와 18개 Unit으로 구성되어 있습니다.
각 Unit은 다음과 같이 구성되어 있으며, 부가적으로 워크북을 제공하고 있습니다.
또한 Reading Passage 및 어휘를 녹음한 오디오 파일을 제공하여 생생한 영어 읽기 학습이 되도록 하였습니다.

Reading Passage

각 Chapter마다 3개의 Reading Passage가 있습니다. 수준별 다양한 주제의 이야기들을 읽어보세요. 색감이 풍부한 삽화가 이야기를 더욱 생생하게 느끼게 해줍니다. 또한 음원을 통해서 원어민의 발음으로 직접 들어 보세요.

UNIT 1 Dragonflies

There are about 4,000 kinds of dragonflies on the Earth.
Dragonflies have 4 strong wings. (a)
They can fly like a helicopter.
They can fly even backwards.
Dragonflies live near rivers, streams, and ponds.
They are very good hunters. (b)
They catch their prey while they are flying.
They like to eat mosquitoes. (c)
They can ________ hundreds of mosquitoes in a single day.
Dragonflies have excellent eyesight. (d)
Dragonflies do not harm humans.
Some say that they are a sign of good luck. (e)

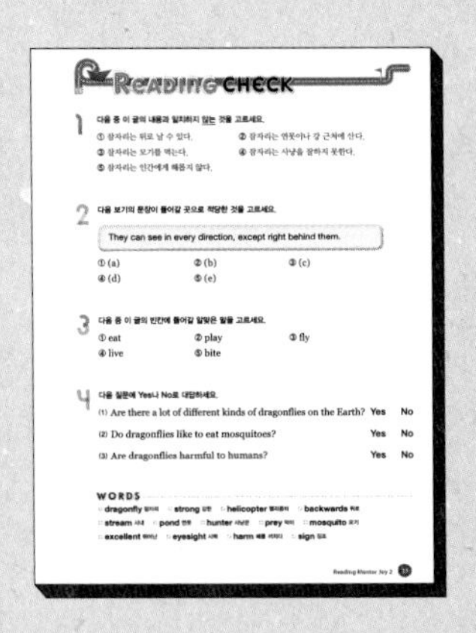
READING CHECK

1 다음 중 이 글의 내용과 일치하지 않는 것을 고르세요.
① 잠자리는 뒤로 날 수 있다. ② 잠자리는 연못이나 강 근처에 산다.
③ 잠자리는 모기를 먹는다. ④ 잠자리는 사냥을 잘하지 못한다.
⑤ 잠자리는 인간에게 해롭지 않다.

2 다음 보기의 문장이 들어갈 곳으로 적당한 것을 고르세요.
They can see in every direction, except right behind them.
① (a) ② (b) ③ (c)
④ (d) ⑤ (e)

3 다음 중 이 글의 빈칸에 들어갈 알맞은 말을 고르세요.
① eat ② play ③ fly
④ live ⑤ bite

4 다음 질문에 Yes나 No로 대답하세요.
(1) Are there a lot of different kinds of dragonflies on the Earth? Yes No
(2) Do dragonflies like to eat mosquitoes? Yes No
(3) Are dragonflies harmful to humans? Yes No

WORDS
dragonfly · strong · helicopter · backwards · stream · pond · hunter · prey · mosquito · excellent · eyesight · harm · sign

Reading Check

앞에서 읽은 재미난 이야기를 잘 이해했는지
문제 풀이를 통해서 확인해 보세요.

Word Check

Reading Passage에 등장하는 어휘들을 문제를 통해서 쓰임을 알아보세요. 어휘를 보다 폭넓게 이해할 수 있고 쉽게 암기할 수 있습니다.

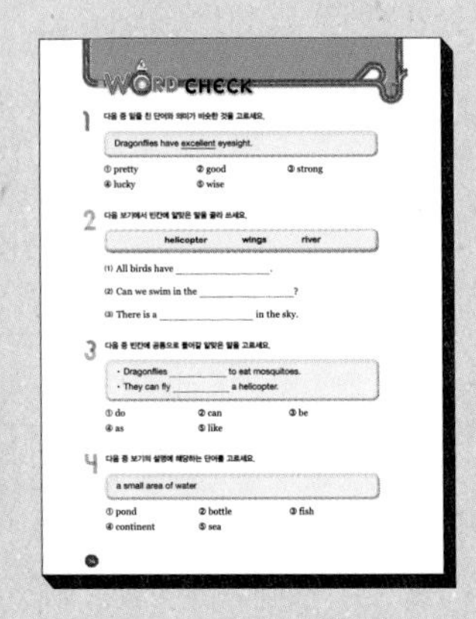
WORD CHECK

1 다음 중 밑줄 친 단어와 의미가 비슷한 것을 고르세요.
Dragonflies have excellent eyesight.
① pretty ② good ③ strong
④ lucky ⑤ wise

2 다음 보기에서 빈칸에 알맞은 말을 골라 쓰세요.
helicopter wings river
(1) All birds have ________________.
(2) Can we swim in the ________________?
(3) There is a ________________ in the sky.

3 다음 중 빈칸에 공통으로 들어갈 알맞은 말을 고르세요.
· Dragonflies ________ to eat mosquitoes.
· They can fly ________ a helicopter.
① do ② can ③ be
④ as ⑤ like

4 다음 중 보기의 설명에 해당하는 단어를 고르세요.
a small area of water
① pond ② bottle ③ fish
④ continent ⑤ sea

Grammar Time

Reading Passage에서 모르고 지나쳤던 문법 사항을 확인해 보세요. 문장을 확실하게 이해할 수 있습니다.

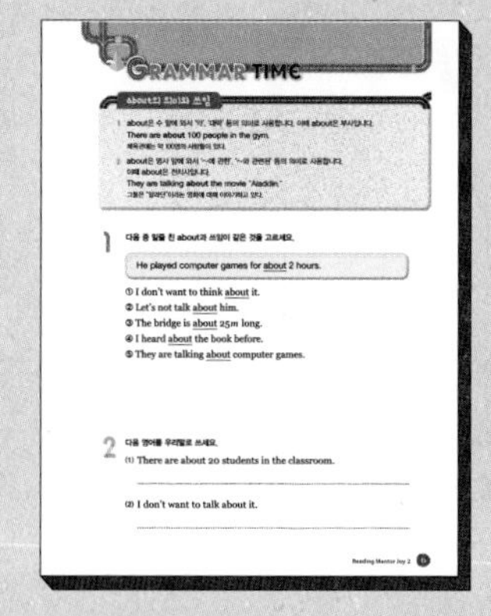

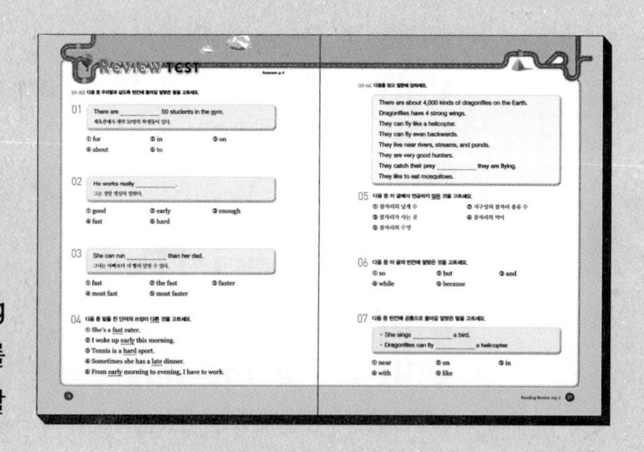

Review Test

각 Chapter가 끝나면 앞에서 배운 3개의 Reading Passage와 어휘, 문법 등에 대한 총괄적인 문제를 풀어볼 수 있습니다. 배운 내용을 다시 한 번 복습할 수 있는 기회가 됩니다.

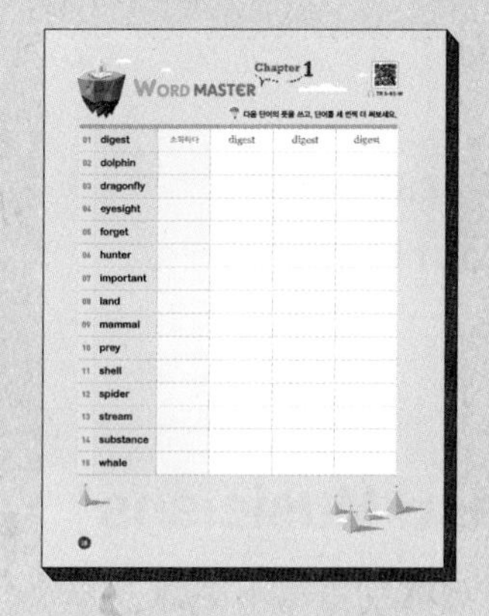

Word Master

다음 Chapter로 넘어가기 전에 잠깐 쉬어 가세요! 어휘는 모든 읽기의 기본입니다. 부담 갖지 마시고 앞에서 배운 단어를 한 번 더 써보고 연습해 보세요.

Answers

정답을 맞춰 보고, 해석과 해설을 통해서 놓친 부분들도 함께 확인해 보세요.

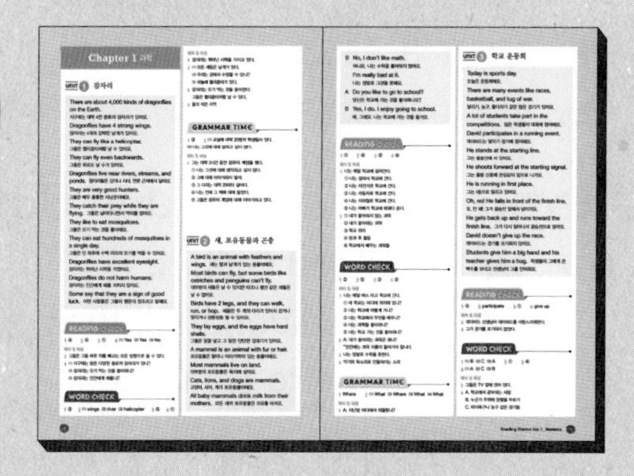

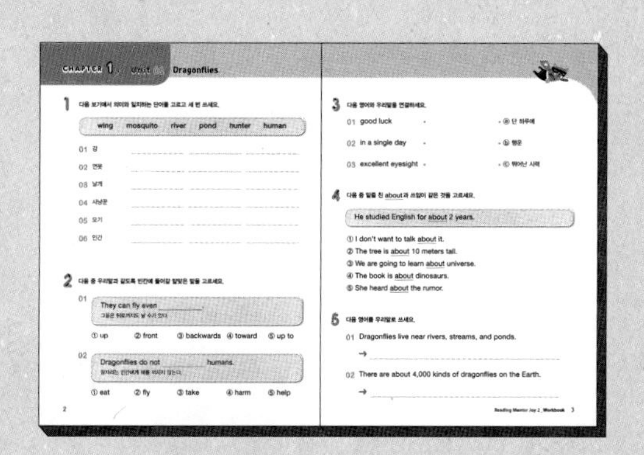

Workbook

별도로 제공되는 워크북은 각 Unit마다 배운 내용을 스스로 풀어보고 연습할 수 있도록 구성했습니다. 스스로 학습할 수 있는 기회로 삼아 보세요.

Contents

Chapter 1

Science

UNIT 1 Dragonflies

UNIT 2 Birds, Mammals, and Insects

UNIT 3 Facts About Our Teeth

UNIT 1 Dragonflies

TR 5-01

There are about 4,000 kinds of dragonflies on the Earth.

Dragonflies have 4 strong wings. (a)

They can fly like a helicopter.

They can fly even backwards.

Dragonflies live near rivers, streams, and ponds.

They are very good hunters. (b)

They catch their prey while they are flying.

They like to eat mosquitoes. (c)

They can ________ hundreds of mosquitoes in a single day.

Dragonflies have excellent eyesight. (d)

Dragonflies do not harm humans.

Some say that they are a sign of good luck. (e)

READING CHECK

1 다음 중 이 글의 내용과 일치하지 <u>않는</u> 것을 고르세요.

① 잠자리는 뒤로 날 수 있다.
② 잠자리는 연못이나 강 근처에 산다.
③ 잠자리는 모기를 먹는다.
④ 잠자리는 사냥을 잘하지 못한다.
⑤ 잠자리는 인간에게 해롭지 않다.

2 다음 보기의 문장이 들어갈 곳으로 적당한 것을 고르세요.

> They can see in every direction, except right behind them.

① (a)
② (b)
③ (c)
④ (d)
⑤ (e)

3 다음 중 이 글의 빈칸에 들어갈 알맞은 말을 고르세요.

① eat
② play
③ fly
④ live
⑤ bite

4 다음 질문에 Yes나 No로 대답하세요.

(1) Are there a lot of different kinds of dragonflies on the Earth? Yes No

(2) Do dragonflies like to eat mosquitoes? Yes No

(3) Are dragonflies harmful to humans? Yes No

WORDS

□ **dragonfly** 잠자리 □ **strong** 강한 □ **helicopter** 헬리콥터 □ **backwards** 뒤로
□ **stream** 시내 □ **pond** 연못 □ **hunter** 사냥꾼 □ **prey** 먹이 □ **mosquito** 모기
□ **excellent** 뛰어난 □ **eyesight** 시력 □ **harm** 해를 끼치다 □ **sign** 징조

WORD CHECK

1

다음 중 밑줄 친 단어와 의미가 비슷한 것을 고르세요.

Dragonflies have <u>excellent</u> eyesight.

① pretty ② good ③ strong
④ lucky ⑤ wise

2

다음 보기에서 빈칸에 알맞은 말을 골라 쓰세요.

helicopter wings river

(1) All birds have ____________.

(2) Can we swim in the ____________?

(3) There is a ____________ in the sky.

3

다음 중 빈칸에 공통으로 들어갈 알맞은 말을 고르세요.

- Dragonflies ________ to eat mosquitoes.
- They can fly ________ a helicopter.

① do ② can ③ be
④ as ⑤ like

4

다음 중 보기의 설명에 해당하는 단어를 고르세요.

a small area of water

① pond ② bottle ③ fish
④ continent ⑤ sea

GRAMMAR TIME

about의 의미와 쓰임

1 about은 수 앞에 와서 '약', '대략' 등의 의미로 사용합니다. 이때 about은 부사입니다.
There are **about** 100 people in the gym.
체육관에는 약 100명의 사람들이 있다.

2 about은 명사 앞에 와서 '~에 관한', '~와 관련된' 등의 의미로 사용합니다.
이때 about은 전치사입니다.
They are talking **about** the movie "Aladdin."
그들은 "알라딘"이라는 영화에 대해 이야기하고 있다.

1 다음 중 밑줄 친 about과 쓰임이 같은 것을 고르세요.

He played computer games for <u>about</u> 2 hours.

① I don't want to think <u>about</u> it.
② Let's not talk <u>about</u> him.
③ The bridge is <u>about</u> 25*m* long.
④ I heard <u>about</u> the book before.
⑤ They are talking <u>about</u> computer games.

2 다음 영어를 우리말로 쓰세요.

(1) There are about 20 students in the classroom.

____

(2) I don't want to talk about it.

____

UNIT 2 Birds, Mammals, and Insects

TR 5-02

A bird is an animal with feathers and wings.

Most birds can fly, but some birds like ostriches and penguins can't fly.

Birds have 2 legs, and they can walk, run, or hop.

They lay eggs, and the eggs have hard shells.

A mammal is an animal with fur or hair.

Most mammals live on land.

Cats, lions, and dogs are mammals.

All baby mammals drink milk from their mothers.

They need their mothers' milk to grow and stay healthy.

Whales and dolphins are also mammals.

They are marine mammals.

An insect is a very small animal.

Some have wings and some don't.

Insects have 6 legs and most insects hatch from eggs.

Bees and ants are insects, but spiders are not insects.

1 다음 중 이 글의 내용과 일치하지 않는 것을 고르세요.

① 새들은 걷거나 달릴 수 있다.
② 바다에 사는 고래는 포유동물이다.
③ 포유동물 새끼들은 모유를 먹는다.
④ 모든 곤충은 날개가 있다.
⑤ 대부분의 곤충들은 알에서 부화한다.

2 다음 보기의 단어를 이용하여 빈칸을 채우세요.

milk	marine	feathers	6 legs

(1) birds – ______________
(2) whales – ______________
(3) mammals – ______________
(4) insects – ______________

3 다음 밑줄 친 they가 의미하는 것을 쓰세요.

____

4 다음 중 이 글을 통해 대답할 수 없는 것을 고르세요.

① How many legs do insects have?
② Where do most mammals live?
③ Which birds can't fly?
④ What do mammals feed their babies?
⑤ How many wings do insects have?

WORDS

□ **feather** 털, 깃털 □ **ostrich** 타조 □ **hop** 깡충깡충 뛰다 □ **lay** (알을) 낳다 □ **shell** 껍데기
□ **mammal** 포유동물 □ **land** 땅 □ **whale** 고래 □ **dolphin** 돌고래 □ **insect** 곤충 □ **spider** 거미

WORD CHECK

1 다음 중 bird와 관련 없는 것을 고르세요.

① wings ② feathers ③ fly
④ milk ⑤ eggs

2 다음 보기에서 빈칸에 알맞은 말을 골라 쓰세요.

bees	eggs	drink

(1) Most insects hatch from ________________.

(2) They ________________ tea every day.

(3) Honey comes from ________________.

3 다음 중 healthy와 의미가 반대인 것을 고르세요.

① ill ② good ③ excellent
④ marine ⑤ soon

4 다음 중 그림을 보고 빈칸에 들어갈 알맞은 말을 고르세요.

The bird is covered in __________.

① snow ② shell ③ dots
④ feathers ⑤ legs

GRAMMAR TIME

형용사와 부사의 형태가 같은 단어들

1 형용사와 부사의 형태가 같은 단어들로 hard, fast, late, early 등이 있습니다.

2 형용사는 사람이나 사물의 성질이나 상태, 모양, 색깔 등을 나타내는 말로 주로 명사를 꾸며줍니다. 대부분의 형용사는 받침 '~ㄴ'으로 끝납니다.

hard (단단한, 어려운, 힘든)	a **hard** question 어려운 문제	**hard** work 힘든 일
fast (일이나 움직임이 빠른)	a **fast** car 빠른 자동차	**fast** food 패스트푸드
late (시간이 늦은)	in the **late** afternoon 늦은 오후에 a **late** dinner 늦은 저녁식사	
early (빠른, 이른)	**early** morning 이른 아침 an **early** breakfast 이른 아침식사	

3 부사는 동사, 형용사 또는 다른 부사를 수식하여 문장의 내용을 보다 풍부하게 만드는 역할을 합니다.

hard (열심히)	work **hard** 열심히 일하다
fast (빠르게)	run **fast** 빨리 달리다
late (늦게)	get up **late** 늦게 일어나다
early (일찍)	get up **early** 일찍 일어나다

1

다음 중 밑줄 친 단어의 쓰임이 다른 것을 고르세요.

① She runs really fast.
② She's a very hard worker.
③ Teddy was born in early spring.
④ Sometimes I have a late lunch.
⑤ He's a fast learner.

2

다음 영어를 우리말로 쓰세요.

(1) They arrived late at the airport.

____

(2) Michelle is always late for school.

____

UNIT 3 Facts About Our Teeth

TR 5-03

Our teeth are an important part of our daily life.

We can't eat and digest food without them.

We can't talk properly without them.

Most children have 20 teeth by the time they are 3 years old.

When children reach the age of 5 or 6, their teeth start to fall out one by one.

Children have a set of 28 permanent teeth by 13 years of age.

Our teeth are harder than our bones.

Our teeth are the hardest part of our body.

Our teeth are covered in a hard substance called enamel.

Do you know how to keep your teeth healthy?

Don't eat too much candy and chocolate.

Don't forget to brush them after meals.

READING CHECK

1

다음 질문에 Yes나 No로 대답하세요.

(1) Is sweet food good for our teeth? Yes No

(2) Can we speak clearly without teeth? Yes No

(3) Do children under 3 years old have 28 teeth? Yes No

2

다음 중 빈칸에 들어갈 알맞은 말을 고르세요.

We can't ____________ food without our teeth.

① live ② chew ③ drink
④ brush ⑤ cover

3

다음 대화의 빈칸에 알맞은 말을 쓰세요.

A How many teeth do children have when they are 13?
B They have ______________________.

4

다음 중 이 글에서 언급하지 않는 것을 고르세요.

① 치아의 중요성 ② 아이들의 치아 수
③ 치아가 빠지는 시기 ④ 치아 관리
⑤ 치아 건강에 좋은 음식

WORDS

□ **important** 중요한 □ **digest** 소화하다 □ **without** ~ 없이 □ **properly** 적절히 □ **fall out** 빠지다
□ **one by one** 하나씩 □ **permanent** 영구적인 □ **bone** 뼈 □ **cover** 덮다 □ **substance** 물질
□ **enamel** 에나멜 □ **healthy** 건강한 □ **forget** 잊다 □ **meal** 식사

WORD CHECK

1 다음 중 빈칸에 들어갈 알맞은 말을 고르세요.

Don't eat too ____________ fast food.

① much ② great ③ a little
④ few ⑤ hard

2 다음 보기에서 빈칸에 알맞은 말을 골라 쓰세요.

forget **meals** **healthy**

(1) He is ____________________ and strong.

(2) Don't ____________________ your umbrella!

(3) Wash your hands before ____________________.

3 다음 중 **hard**와 의미가 반대인 것을 고르세요.

① dirty ② fast ③ important
④ enough ⑤ soft

4 다음 중 보기의 설명에 해당하는 단어를 고르세요.

one of the hard white objects in your mouth

① neck ② nail ③ lip
④ tooth ⑤ tongue

GRAMMAR TIME

비교급과 최상급

1 한 문장에서 두 개의 사물이나 사람 등을 비교할 때, 어느 한쪽이 다른 쪽보다 우세하거나 열등한 경우 비교급을 사용합니다.

2 비교급은 형용사에 -er를 붙여 [비교급+than]으로 표현합니다.
The dog is **bigger than** the cat. 그 개는 그 고양이보다 더 크다.

3 세 개 이상의 사물이나 사람 등을 비교하여, 가장 뛰어나거나 열등할 경우 최상급을 씁니다.

4 최상급은 형용사에 -est를 붙여 나타냅니다. 형용사가 긴 단어(일부 2음절 또는 3음절 이상)일 때에는 [most+형용사]로 표현합니다.
She is the **tallest** in our school. 그녀는 우리 학교에서 가장 키가 크다.
She is the **most beautiful** woman in the world. 그녀는 세상에서 가장 아름다운 여성이다.

1

다음 괄호 안에서 알맞은 것을 고르세요.

(1) Tom is (tallest / taller) than Jane.

(2) He is (the most / the more) handsome actor in Hollywood.

(3) Jane is the (tallest / taller) girl in her class.

(4) A train is (faster / fastest) than a bus.

(5) This is (the most / the more) interesting book.

2

다음 주어진 단어를 순서대로 바르게 배열하세요.

nicest	the	teacher	school	in

Mr. Lee is ______________________________.

Answers p.4

[01-03] 다음 중 우리말과 같도록 빈칸에 들어갈 알맞은 말을 고르세요.

01 There are ____________ 50 students in the gym.
체육관에서 대략 50명의 학생들이 있다.

① for ② in ③ on
④ about ⑤ to

02 He works really ____________.
그는 정말 열심히 일한다.

① good ② early ③ enough
④ fast ⑤ hard

03 She can run ____________ than her dad.
그녀는 아빠보다 더 빨리 달릴 수 있다.

① fast ② the fast ③ faster
④ most fast ⑤ most faster

04 다음 중 밑줄 친 단어의 쓰임이 다른 것을 고르세요.

① She's a fast eater.
② I woke up early this morning.
③ Tennis is a hard sport.
④ Sometimes she has a late dinner.
⑤ From early morning to evening, I have to work.

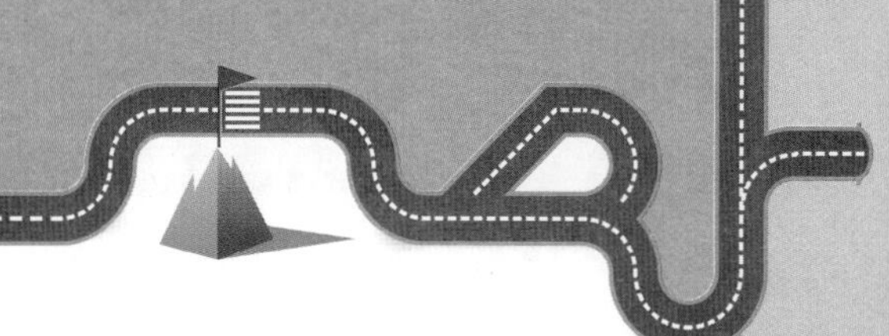

[05-06] 다음을 읽고 질문에 답하세요.

There are about 4,000 kinds of dragonflies on the Earth.
Dragonflies have 4 strong wings.
They can fly like a helicopter.
They can fly even backwards.
They live near rivers, streams, and ponds.
They are very good hunters.
They catch their prey ___________ they are flying.
They like to eat mosquitoes.

05 다음 중 이 글에서 언급하지 않은 것을 고르세요.

① 잠자리의 날개 수
② 지구상의 잠자리 종류 수
③ 잠자리가 사는 곳
④ 잠자리의 먹이
⑤ 잠자리의 수명

06 다음 중 이 글의 빈칸에 알맞은 것을 고르세요.

① so
② but
③ and
④ while
⑤ because

07 다음 중 빈칸에 공통으로 들어갈 알맞은 말을 고르세요.

- She sings ___________ a bird.
- Dragonflies can fly ___________ a helicopter.

① near
② on
③ in
④ with
⑤ like

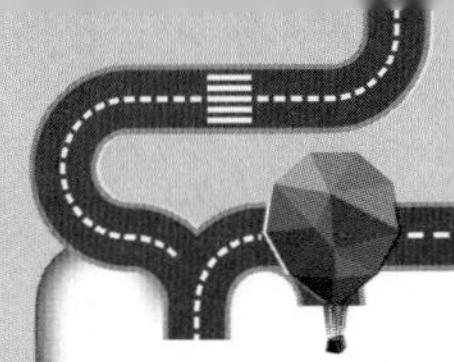

08 다음 중 보기의 설명에 해당하는 단어를 고르세요.

a sweet hard food made from cocoa beans

① chocolate ② vegetable ③ pizza
④ cookie ⑤ bread

[09-10] 다음 중 빈칸에 들어갈 알맞은 말을 고르세요.

09 Bees and ants are insects, but spiders ____________ insects.

① are ② don't ③ aren't
④ isn't ⑤ am not

10 We can't eat and digest food ____________ our teeth.

① around ② near ③ about
④ to ⑤ without

11 다음 중 그림을 보고 빈칸에 알맞은 말을 고르세요.

A bird ____________ from an egg.

① runs ② jumps ③ hatches
④ feeds ⑤ swings

12 다음 중 보기의 우리말을 영어로 바르게 표현한 것을 고르세요.

이것이 가장 재미있는 책이다.

① This is the interesting book
② This is more interesting book.
③ This is interesting most book.
④ This is the most interesting book.
⑤ This is the most interesting than book.

13 다음 보기에서 빈칸에 알맞은 말을 골라 쓰세요.

near **hard** **Earth**

(1) We are living on the ________________.
(2) They live ________________ the church on the hill.
(3) Taking care of a baby is ________________ work.

14 다음 빈칸에 알맞은 말을 쓰세요.

Our teeth is harder ____________ our bones.

____

15 다음 영어를 우리말로 쓰세요.

(1) Don’t forget to brush your teeth after meals.

____

(2) A bird is an animal with feathers and wings.

____

Chapter 1 WORD MASTER

TR 5-03-W

다음 단어의 뜻을 쓰고, 단어를 세 번씩 더 써보세요.

01	digest	소화하다	digest	digest	digest
02	dolphin				
03	dragonfly				
04	eyesight				
05	forget				
06	hunter				
07	important				
08	land				
09	mammal				
10	prey				
11	shell				
12	spider				
13	stream				
14	substance				
15	whale				

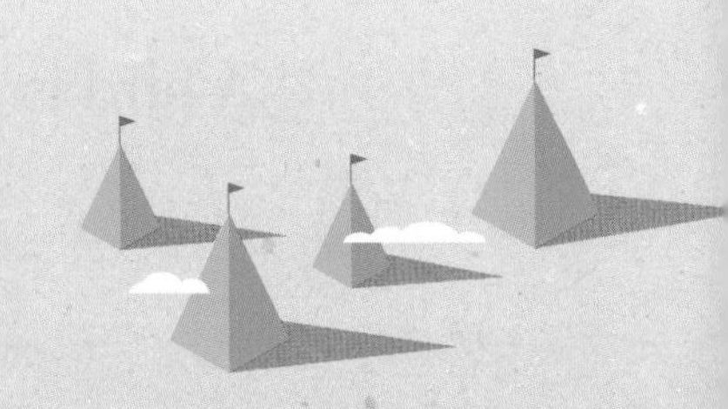

Chapter 2

Special Days

UNIT 1 Halloween

TR 5-04

We celebrate Halloween every year on October 31.

Most children like Halloween because they can get buckets of free candy.

People wear spooky costumes such as ghosts, witches, or __________ on Halloween.

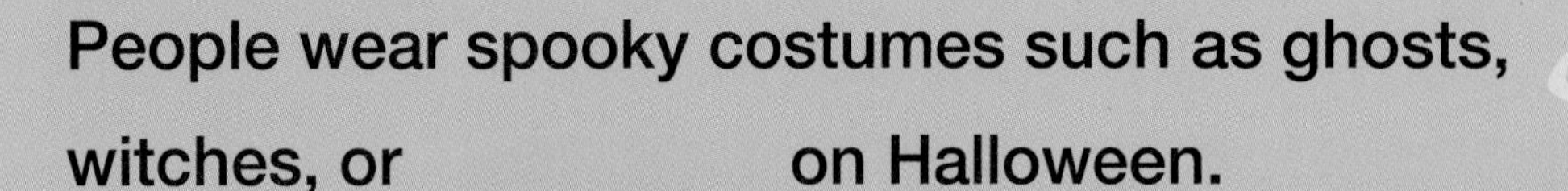

My brother and I wear costumes and attend a costume party.

We also carve big pumpkins and put candles in them.

The pumpkin is a symbol of Halloween.

We go trick-or-treating in our neighborhood at night.

We go to every house one by one and shout "Trick or treat!"

The house owners give us sweets or candy.

Halloween is fun and exciting for both kids and adults.

It is my favorite holiday.

READING CHECK

1 다음 질문에 Yes나 No로 대답하세요.

(1) Do people go to church on Halloween? Yes No

(2) Can kids get candy from their neighbors on Halloween? Yes No

(3) Do people go to the movies on Halloween? Yes No

2 다음 중 이 글에서 언급하지 않은 것을 고르세요.

① Halloween 날짜
② Halloween 의상
③ Halloween에 하는 행동
④ Halloween 상징
⑤ Halloween 관련 영화

3 다음 중 Halloween과 관련 없는 것을 고르세요.

① pumpkins
② scary costumes
③ coins
④ trick-or-treating
⑤ sweets or candy

4 다음 중 이 글의 빈칸에 들어갈 알맞은 말을 고르세요.

① skeletons
② cake
③ crowns
④ candy
⑤ movie stars

WORDS

□ **celebrate** 축하하다 □ **every** 모든, 매 □ **because** 때문에 □ **spooky** 무시무시한, 무서운
□ **costume** 의상, 분장 □ **attend** 참석하다 □ **carve** 조각하다 □ **pumpkin** 호박 □ **candle** 초
□ **symbol** 상징 □ **owner** 주인, 소유자 □ **adult** 어른

1

다음 중 대화의 빈칸에 들어갈 알맞은 말을 고르세요.

A How many tickets do you need?
B I need 3 tickets. Two __________ and one child.

① buses ② ghosts ③ woman
④ adults ⑤ free

2

다음 보기에서 빈칸에 알맞은 말을 골라 쓰세요.

candles **symbol** **sweets**

(1) The Eiffel Tower is a ________________ of Paris.

(2) Don't eat ________________ like chocolate and cookies.

(3) I put 10 ________________ on the birthday cake.

3

다음 중 costume과 의미가 비슷한 것을 고르세요.

① adult ② candy ③ shoes
④ pumpkin ⑤ clothes

4

다음 중 보기의 설명에 해당하는 단어를 고르세요.

the 10th month of the year

① Halloween ② October ③ weekend
④ summer ⑤ holiday

GRAMMAR TIME

most의 의미와 쓰임

1 most는 형용사로 명사 앞에 와서 '대부분의'란 의미로 사용합니다.
I like **most** vegetables.
나는 대부분의 채소를 좋아한다.
Most people like animals.
대부분의 사람들은 동물을 좋아한다.

2 most는 many와 much의 최상급으로 '가장 많이', '최고로' 등의 의미로도 사용합니다.
Seoul is the **most** famous city in Korea.
서울은 한국에서 가장 유명한 도시이다.

1

다음 중 밑줄 친 것과 쓰임이 같은 것을 고르세요.

He is the most handsome boy in the class.

① Most students go to school by bus.
② Pizza is my most favorite food.
③ Most people love animals.
④ I like most vegetables.
⑤ Most buildings have elevators.

2

다음 영어를 우리말로 쓰세요.

(1) Korea is the most beautiful country.

____

(2) Most children go swimming in the afternoon.

____

UNIT 2 Parents' Day

TR 5-05

Tomorrow is Parents' Day.

Minsu is making a card for Parents' Day.

He would like to thank his parents for their endless amount of love and all their support.

There are paper, pens, and crayons on the desk.

He folds the paper in half.

He draws flowers in the front and writes "Happy Parents' Day!"

Inside the card, Minsu writes a short letter to his parents.

He draws hearts all over the card.

Then, he puts the card into the envelope.

Minsu hopes his parents will love the card.

He can't wait to give it to them on Parents' Day.

Thank you

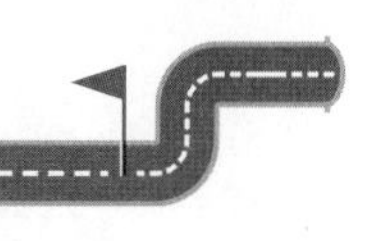

1 다음 질문에 Yes나 No로 대답하세요.

(1) Did Minsu write something inside the card? Yes No

(2) Did Minsu's parents help Minsu make the card? Yes No

(3) Did Minsu give the card to his parents? Yes No

2 다음 중 Minsu가 카드를 만드는 이유를 고르세요.

① to apologize to his parents
② to thank to his parents
③ to invite his parents to his concert
④ to express his feelings to his friends
⑤ to send a gift to his parents

3 다음 중 Minsu가 만든 카드로 알맞은 것을 고르세요.

① 

② 

③ 

④ 

⑤ 

4 다음 중 밑줄 친 <u>them</u>이 의미하는 것을 고르세요.

① pictures ② hearts ③ cards
④ letters ⑤ Minsu's parents

WORDS

□ **parents** 부모 □ **endless** 끝없는 □ **amount** 양 □ **support** 지지, 지원 □ **fold** 접다
□ **in half** 반으로 □ **draw** 그리다 □ **inside** ~ 안에 □ **envelope** 봉투 □ **hope** 바라다

WORD CHECK

1

다음 중 대화의 빈칸에 들어갈 알맞은 말을 고르세요.

A ____________ you for your help.

B My pleasure.

① Need ② Visit ③ Sorry
④ Thank ⑤ Call

2

다음 중 그림을 보고 빈칸에 들어갈 알맞은 말을 고르세요.

I ____________ flowers with crayons.

① buy ② put ③ draw
④ make ⑤ need

3

다음 중 short와 의미가 반대인 것을 고르세요.

① rich ② fast ③ long
④ clean ⑤ endless

4

다음 중 보기의 설명에 해당하는 단어를 고르세요.

your mother and father

① parents ② children ③ partners
④ sisters ⑤ uncles

GRAMMAR TIME

현재진행형의 의미와 쓰임

1 현재진행형이란 말하고 있는 지금 이 순간에 일어나고 있는 일을 나타내는 표현으로, '~하는 중이다' 또는 '~하고 있다'로 해석합니다.

I **am singing** a song. 나는 노래를 부르고 있다.

2 현재진행형은 be동사의 현재형(am, are, is) 뒤에 일반동사의 -ing 형태를 씁니다.

3 현재진행형의 부정문은 be동사(am, are, is) 뒤에 not을 붙입니다.

I / You	am / are not	-ing
She / He / It / 단수 주어	is not [isn't]	
We / You / They / 복수 주어	are not [aren't]	

I **am studying** math. 나는 수학을 공부하고 있다.
→ I **am not studying** math. 나는 수학을 공부하고 있지 않다.

She **is working** hard. 그녀는 열심히 일하고 있다.
→ She **is not working** hard. 그녀는 열심히 일하고 있지 않다.

1 다음 괄호 안에서 알맞은 것을 고르세요.

(1) My friend (am / are / is) (sing / singing) a song.

(2) He (am not / aren't / isn't) (eat / eating) lunch.

(3) The boys (am not / aren't / isn't) (studing / studying) science.

2 다음 문장을 부정문으로 바꾸세요.

(1) I am watching TV.

____

(2) His brothers are swimming in the sea.

____

UNIT 3 My First Day

TR 5-06

I cannot forget my first day at my new school.

Its memory is still fresh in my mind.

I transferred to the new school in the 2nd grade.

It was September 15.

I got up early in the morning on this day.

My dad took me to the new school.

We entered the office and my dad gave a form to one of the teachers.

Mr. Donovan took me to a classroom, and he introduced me to my classmates.

I took a seat in the 3rd row.

I felt a little nervous in the new environment.

During recess, two boys approached me and said that they would show me around the school.

The two boys, Tony and Paul, became my best friends.

READING CHECK

1

다음 중 이 글의 내용과 다른 것을 고르세요.

① 나는 새 학교에서의 첫날을 생생히 기억한다.

② 나는 2학년 때 새 학교로 전학을 갔다.

③ 나는 9월 15일에 전학을 갔다.

④ Tony와 Paul은 방과 후 내게 다가왔다.

⑤ Tony와 Paul은 나의 가장 친한 친구들이다.

2

다음 중 빈칸에 들어갈 알맞은 말을 고르세요.

I felt a little nervous on the first day of school because everything was ____________ to me.

① fresh ② new ③ easy

④ fun ⑤ expensive

3

다음 중 Tony와 Paul이 휴식시간에 한 것이 무엇인지 고르세요.

① 잡담 ② 학교 안내 ③ 청소

④ 축구 경기 ⑤ 숙제하기

4

다음 빈칸에 알맞은 말을 쓰세요.

I went to the new school with ____________________________.

WORDS

□ **forget** 잊다 □ **memory** 기억 □ **transfer** 전학하다 □ **grade** 학년 □ **enter** 들어가다
□ **office** 사무실 □ **form** 양식 □ **introduce** 소개하다 □ **classmate** 반 친구 □ **seat** 좌석
□ **row** 줄, 열 □ **nervous** 긴장하는 □ **environment** 환경 □ **recess** 휴식 □ **approach** 다가가다

WORD CHECK

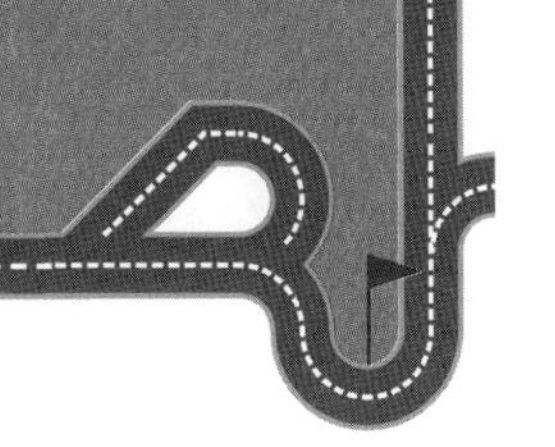

1

다음 중 우리말과 같도록 빈칸에 들어갈 알맞은 말을 고르세요.

Don't be __________. You'll do well.
긴장하지 마라. 너는 잘할 것이다.

① angry ② silly ③ sad
④ nervous ⑤ sorry

2

다음 보기에서 빈칸에 알맞은 말을 골라 쓰세요.

introduce **office** **fresh**

(1) The fish is very __________.

(2) My __________ is on the top floor.

(3) Could you __________ yourself?

3

다음 중 **forget**과 의미가 반대인 것을 고르세요.

① stand ② sleep ③ play
④ introduce ⑤ remember

4

다음 중 보기의 설명에 해당하는 단어를 고르세요.

the 9th month of the year

① summer ② September ③ autumn
④ August ⑤ Christmas

GRAMMAR TIME

조동사 can

1 조동사는 주어에 상관 없이 항상 같은 형태를 쓰고, 조동사 뒤에는 반드시 동사원형을 써야 합니다.

2 조동사 can은 '능력'의 의미를 추가해 주는 조동사로 '~할 수 있다'로 해석합니다.
I **can** speak English. 나는 영어를 말할 수 있다.

3 '~할 수 없다'는 의미의 부정문은 can 뒤에 not을 붙여 cannot의 형태로 쓰고, can't로 줄여 쓸 수 있습니다.
I **can** speak English. 나는 영어를 말할 수 있다.
→ I **cannot[can't]** speak English. 나는 영어를 말할 수 없다.

1 다음 괄호 안에서 알맞은 것을 고르세요.

(1) David (can / cans) (play / playing) the guitar.

(2) He (can / cans) (drive / drives) a car.

(3) She (can / cans) (make / makes) cookies.

(4) We (can / cans) (swim / swimming) in the sea.

(5) I (can use not / cannot use) the computer.

2 다음 우리말과 같도록 주어진 단어를 이용하여 빈칸에 알맞은 표현을 쓰세요.

(1) 우리는 중국어를 말할 수 있다. (speak)

We ______________ ______________ Chinese.

(2) 그녀는 그 문제를 풀 수 없다. (solve)

She ______________ ______________ the problem.

Answers p.7

[01-02] 다음 중 우리말과 같도록 빈칸에 들어갈 알맞은 말을 고르세요.

01

_______________ people like apples.

대부분의 사람들은 사과를 좋아한다.

① A lot of ② Too ③ Most

④ Much ⑤ Many

02

I _______________ fix the computer.

나는 그 컴퓨터를 고칠 수 없다.

① am not ② am not going to ③ can't

④ do ⑤ don't

03 다음 중 빈칸에 올 수 없는 것을 고르세요.

_______________ isn't drinking water now.

① She ② Tony ③ He

④ Jim and I ⑤ It

04 다음 중 빈칸에 공통으로 들어갈 말을 고르세요.

- We need _______________ vegetables.
- Its memory is still _______________ in my mind.

① fresh ② big ③ new

④ nervous ⑤ fun

[05-07] 다음을 읽고 질문에 답하세요.

We celebrate Halloween every year on October 31.
We carve big pumpkins and put candles in <u>them</u> on Halloween.
The pumpkin is a symbol of Halloween.
We wear spooky costumes such as ghosts and witches.
We go trick-or-treating in our neighborhood at night.
We go to every house one by one and shout "Trick or treat!"
The house owners give us sweets or candy.
Halloween is fun and exciting for both kids and adults.
It is my favorite holiday.

05 다음 중 이 글에서 언급하지 <u>않은</u> 것을 고르세요.

① Halloween 날짜
② Halloween의 상징
③ 호박을 조각하는 이유
④ 집주인이 우리에게 제공하는 것
⑤ Halloween에 입는 의상

06 다음 중 밑줄 친 <u>them</u>이 의미하는 것을 고르세요.

① sweets
② pumpkins
③ candles
④ ghosts
⑤ costumes

07 다음 중 빈칸에 들어갈 알맞은 말을 고르세요.

Halloween is fun and exciting for both kids and adults.
= Both kids and adults ____________ Halloween.

① do
② enjoy
③ stand
④ play
⑤ participate

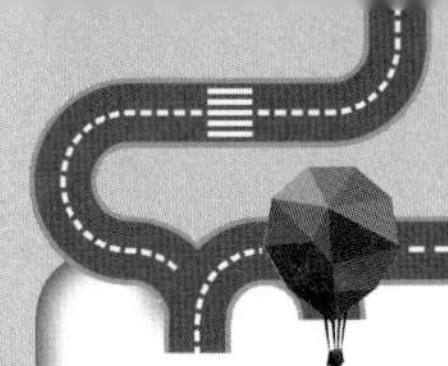

[08-09] 다음 중 보기의 설명에 해당하는 단어를 고르세요.

08 sweet foods such as chocolate

① meat ② chicken ③ noodle
④ rice ⑤ candy

09 a large, round, orange vegetable with a thick skin

① watermelon ② pumpkin ③ carrot
④ tomato ⑤ potato

10 다음 중 그림을 보고 빈칸에 들어갈 알맞은 말을 고르세요.

He puts the card into the ___________.

① envelope ② net ③ jar
④ drawer ⑤ pocket

11 다음 중 우리말과 같도록 빈칸에 들어갈 알맞은 말을 고르세요.

I ___________ wait to see you.
너를 보고 싶어 못 참겠다.

① will ② do ③ can
④ can't ⑤ don't

12 다음 중 과거형이 잘못 연결된 것을 고르세요.

① go – went ② take – took ③ do – did

④ feel – felt ⑤ show – shew

13 다음 보기에서 빈칸에 알맞은 말을 골라 쓰세요.

paper	during	crayons

(1) Please don't talk ________________ class.

(2) The boy is drawing a triangle on the ________________.

(3) The students are drawing with ________________.

14 다음 우리말과 같도록 빈칸에 알맞은 말을 쓰세요.

Jim ___________ go to the concert because he has to study.
짐은 공부를 해야 해서 콘서트에 갈 수 없다.

____

15 다음 영어를 우리말로 쓰세요.

(1) I felt a little nervous in the new environment.

____

(2) He drew hearts all over the card.

____

WORD MASTER

TR 5-06-W

다음 단어의 뜻을 쓰고, 단어를 세 번씩 더 써보세요.

01	approach	다가가다	approach	approach	approach
02	attend				
03	carve				
04	celebrate				
05	costume				
06	endless				
07	envelope				
08	environment				
09	introduce				
10	memory				
11	nervous				
12	recess				
13	spooky				
14	support				
15	transfer				

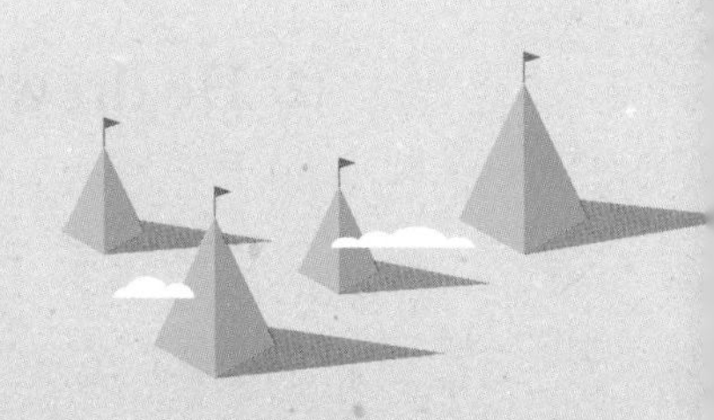

Chapter 3

Food

UNIT 1 Making Pizza

Hi, everybody.

We're going to make pizza today.

We need tomato sauce, tomatoes, mushroom, salami, and cheese.

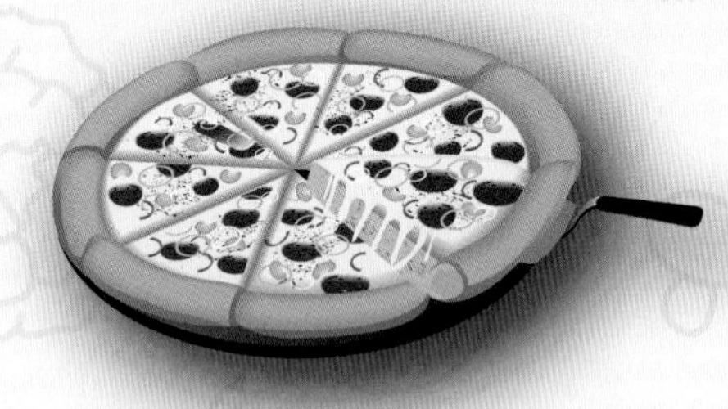

We also need dough.

First, spread tomato sauce on the dough.

Second, put the tomatoes, mushroom, salami, and cheese on the dough.

Third, put the dough on the pan.

Fourth, put the pan in the oven.

Fifth, wait between 8 and 10 minutes for the pizza to cook.

Then, take the pan out of the oven.

Look! The pizza is ready.

Let's cut the pizza into 8 slices.

It looks delicious.

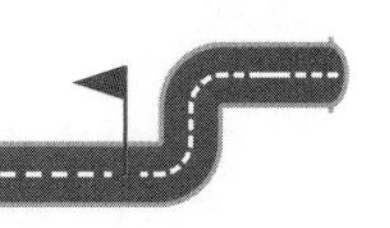

1 다음 중 이 글의 주제로 알맞은 것을 고르세요.

① My favorite food
② How to make Italian food
③ How to make pizza dough
④ How to make pizza
⑤ How to eat pizza

2 다음 중 피자 재료로 언급하지 않은 것을 고르세요.

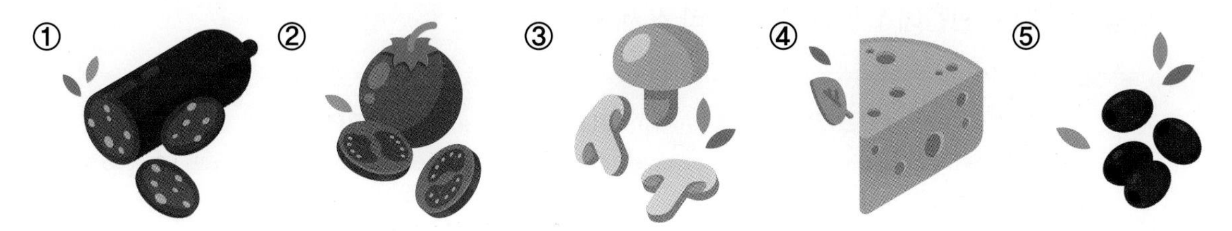

3 다음 중 이 글에서 언급하지 않은 것을 고르세요.

① 음식 재료
② 피자 만드는 순서
③ 피자 굽는 시간
④ 피자 크기
⑤ 피자 굽는 도구

4 다음 대화의 빈칸에 알맞은 대답을 쓰세요.

A How long should the pizza be in the oven?
B The pizza should be in the oven ______________________.

WORDS

□ **everybody** 모두, 여러분 □ **mushroom** 버섯 □ **salami** 살라미(소시지) □ **dough** 밀가루 반죽, 도우
□ **spread** 펼치다 □ **between** ~ 사이에 □ **slice** 조각 □ **delicious** 맛있는

WORD CHECK

1

다음 중 그림을 보고 빈칸에 들어갈 알맞은 말을 고르세요.

Let's ________ tomato sauce on the dough.

① bake ② drop ③ spread
④ mix ⑤ take out

2

다음 보기에서 빈칸에 알맞은 말을 골라 쓰세요.

ready **put** **need**

(1) Are you ________ to order now?

(2) We ________ some cheese.

(3) Please, ________ the forks on the table.

3

다음 중 delicious와 의미가 비슷한 것을 고르세요.

① favorite ② cool ③ simple
④ yummy ⑤ ready

4

다음 중 보기의 설명에 해당하는 단어를 고르세요.

a small, soft, red vegetable

① pan ② tomato ③ pizza
④ cheese ⑤ banana

be going to의 의미와 쓰임

1 be going to는 '~할 것이다', '~하려고 하다'의 뜻으로 미래에 예정된 계획이나 결심을 나타냅니다.

2 be going to 다음에는 '동사원형'이 와야 합니다.
I **am going to** visit her tomorrow. 나는 내일 그녀를 방문할 것이다.
We **are going to** play soccer tomorrow. 우리는 내일 축구를 할 것이다.

3 부정문은 be동사 다음에 not이 옵니다. 부정문은 축약해서 사용할 수 있습니다.
He **is not[isn't] going to** buy a new car. 그는 새 자동차를 사지 않을 것이다.
We **aren't[are not] going to** play soccer tomorrow. 우리는 내일 축구를 하지 않을 것이다.

1 다음 괄호 안에서 알맞은 것을 고르세요.

(1) David (is going / is going to) (play / playing) the guitar.

(2) He and I (is going / are going to) (make / makes) pizza.

(3) We (are not going to / are going not to) (swim / swimming) in the sea.

(4) I (am going to / am going) (buying / buy) a computer.

2 다음 우리말과 같도록 주어진 단어를 이용하여 빈칸에 알맞은 표현을 쓰세요.

(1) 우리는 중국어를 배울 것이다. (learn)

We ______________________________ Chinese.

(2) 그녀는 내일 짐을 만나지 않을 것이다. (meet)

She ______________________________ Jim tomorrow.

Unit 2 Energy from Food

TR 5-08

We get energy from food.

We get our food from plants such as rice, wheat, fruit, vegetables, etc.

We also get food from animals like beef, lamb, pork, chicken, etc.

Food contains essential nutrients, such as fat, protein, vitamin, or minerals.

Food makes us strong and healthy.

Food helps us to grow and protects us from diseases.

But overeating is not good for our health.

It can lead to obesity and other health problems.

Eating a balanced diet is necessary for maintaining good health.

Eating healthy makes us feel good and sleep better.

READING CHECK

1 다음 중 이 글의 내용과 다른 것을 고르세요.

① 우리는 음식에서 에너지를 얻는다.
② 우리는 동물에서 음식을 얻는다.
③ 과식은 건강에 좋지 않다.
④ 균형 잡힌 식사는 우리를 기분 좋게 만든다.
⑤ 균형 잡힌 식사가 좋은 것은 아니다.

2 다음 중 보기의 빈칸에 올 수 없는 것을 고르세요.

We can get our food from ___________.

① fruit
② vegetables
③ health
④ plants
⑤ animals

3 다음 중 이 글에서 언급한 음식의 역할이 아닌 것을 고르세요.

① 음식은 우리를 건강하게 만든다.
② 음식은 우리를 강하게 만든다.
③ 음식은 우리를 병들지 않게 한다.
④ 음식은 우리를 기분 좋게 한다.
⑤ 음식은 우리를 일찍 일어나게 한다.

4 다음 대화의 빈칸에 알맞은 말을 쓰세요.

A What do we get from food?
B We ______________________________.

WORDS

□ **energy** 에너지 □ **wheat** 밀 □ **vegetable** 야채 □ **beef** 소고기 □ **lamb** 양고기
□ **contain** 포함하다 □ **essential** 필수적인 □ **nutrient** 영양소 □ **healthy** 건강한 □ **protect** 보호하다
□ **disease** 질병 □ **overeating** 과식 □ **lead** 야기하다 □ **obesity** 비만 □ **diet** 식단

WORD CHECK

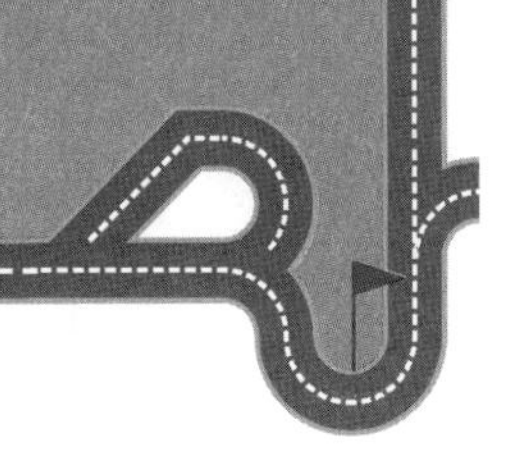

1

다음 중 성격이 다른 단어를 고르세요.

① lamb ② tomato ③ pork
④ chicken ⑤ beef

2

다음 중 빈칸에 들어갈 알맞은 말을 고르세요.

I can't solve the math __________.

① problems ② plants ③ trees
④ animals ⑤ woods

3

다음 보기에서 빈칸에 알맞은 말을 골라 쓰세요.

food **sleep** **grow**

(1) I can't ________________ because of the noise.

(2) The trees ________________ really tall.

(3) I am going to eat Italian ________________ for dinner.

4

다음 중 보기의 설명에 해당하는 단어를 고르세요.

plants such as cabbages, carrots, and onions

① meat ② rice ③ vegetables
④ diet ⑤ food

GRAMMAR TIME

조동사 can의 의문문

1 조동사 can의 의문문은 '~할 수 있나요?'라는 질문에 사용합니다.

2 조동사 can이 들어 있는 문장의 의문문은 can을 주어 앞으로 보내고 문장 끝에 물음표를 붙입니다.
You **can** speak English. 너는 영어를 말할 수 있다.
→ **Can** you speak English**?** 너는 영어를 말할 수 있니?

3 대답하기

질문	긍정의 대답	부정의 대답
Can you play the guitar? 너는 기타를 칠 수 있니?	Yes, I can. 응, 그래.	No, I can't. 아니, 그렇지 않아.
Can your dad play the guitar? 네 아빠는 기타를 칠 수 있니?	Yes, he can. 응, 그래.	No, he can't. 아니, 그렇지 않아.

※ 질문의 주어가 명사(예 your dad)라도 대답은 대명사(예 he)로 합니다.

[1-3] 다음 우리말과 같도록 주어진 단어를 이용하여 대화의 빈칸에 알맞은 표현을 쓰세요.

1

A Can your dad ________________ a horse? (ride)
네 아빠는 말을 탈 수 있니?
B Yes, ________________________. 응, 그래.

2

A ________________ you ________________ the dishes? (wash)
너는 설거지를 할 수 있니?
B Yes, ________________________. 응, 그래.

3

A ________________ your mom ________________ the guitar? (play)
네 엄마는 기타를 칠 수 있니?
B No, ________________________. 아니, 그렇지 않아.

UNIT 3 Bibimbap

TR 5-09

Have you ever tried bibimbap before?

Bibimbap is one of the most popular dishes in Korea.

I think most Koreans like bibimbap.

The term "bibim" means mixing various ingredients, and the "bap" means rice.

It consists of white rice topped with vegetables, beef, a fried egg, and gochujang.

You can eat bibimbap anywhere in Korea.

Bibimbap is also popular around the world.

Many foreigners want to try "bibimbap."

People say bibimbap is good ________ our health.

I often eat bibimbap.

How about having "bibimbap" ________ lunch today?

Just thinking about it makes my mouth water.

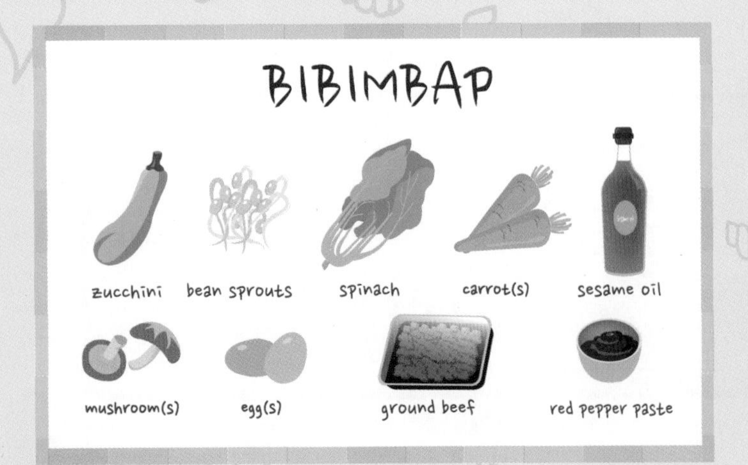

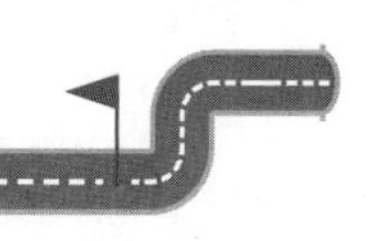

1 다음 중 이 글의 내용과 같으면 T에 동그라미를, 다르면 F에 동그라미 하세요.

(1) Bibimbap is a very popular Korean dish. T F

(2) You can eat bibimbap only in Korea. T F

(3) We need vegetables, beef, and eggs to make bibimbap. T F

2 다음 중 비빔밥의 재료로 언급하지 않은 것을 고르세요.

① 
② 
③ 
④ 
⑤ 

3 다음 중 밑줄 친 it이 의미하는 것을 쓰세요.

____

4 다음 중 이 글의 빈칸에 공통으로 들어갈 알맞은 말을 고르세요.

① to ② for ③ in
④ at ⑤ on

WORDS

□ **before** 전에 □ **popular** 인기 있는 □ **dish** 음식 □ **term** 용어 □ **mean** 의미하다
□ **mix** 섞다 □ **ingredient** 재료 □ **consist** 구성하다 □ **foreigner** 외국인 □ **water** 군침이 돌다

WORD CHECK

1 다음 중 보기의 단어들과 관련된 것을 고르세요.

beef	vegetables	eggs	rice	red pepper paste

① white rice
② traditional food
③ bibimbap ingredients
④ fast food
⑤ pizza ingredients

2 다음 중 우리말과 같도록 빈칸에 공통으로 들어갈 말을 고르세요.

• There's a restaurant __________ the corner.
모퉁이 근처에 식당이 하나 있다.
• She is famous __________ the world. 그녀는 전 세계적으로 유명하다.

① to
② for
③ on
④ around
⑤ up

3 다음 보기에서 빈칸에 알맞은 말을 골라 쓰세요.

popular	dinner	foreigners

(1) Taekwondo is a very ______________ martial art around the world.

(2) There are many ______________ in the museum now.

(3) Today's ______________ is spaghetti.

4 다음 중 보기의 설명에 해당하는 단어를 고르세요.

the meat of a cow

① beef
② pork
③ curry
④ rice
⑤ salad

GRAMMAR TIME

최상급 표현 이해하기

1 최상급이란 '가장 ~한'이라는 의미이고, 보통 형용사에 -est를 붙여서 표현합니다.

large - larg**est** 가장 큰　　　　long - long**est** 가장 긴

Seoul is the **largest** city in Korea. 서울은 대한민국에서 가장 큰 도시다.

2 일부 2음절 또는 3음절 이상의 긴 단어는 앞에 most를 붙입니다.

difficult - **most** difficult 가장 어려운　　　　popular - **most** popular 가장 인기 있는

He is the **most popular** singer these days. 그는 요즘 최고의 인기 있는 가수다.

3 불규칙 변화

good / well - best 최고의, 가장 ~한　　　　many / much - most 최고

He is the **best** soccer player in the world. 그는 세계 최고의 축구 선수이다.

1

다음 중 우리말과 같도록 빈칸에 들어갈 알맞은 말을 고르세요.

Mike is the ____________ student in my class.

마이크는 나의 반에서 가장 키가 큰 학생이다.

① tall　　② taller　　③ tallest

④ most tall　　⑤ much tall

2

다음 우리말과 같도록 주어진 단어를 이용하여 빈칸에 알맞은 말을 쓰세요.

(1) Mary is the ____________________ girl in my class. (smart)

메리는 나의 반에서 가장 영리한 소녀다.

(2) Jack is the ____________________ boy in his school. (strong)

잭은 그의 학교에서 가장 강한 소년이다.

(3) This is the ____________________ movie of 2019. (good)

이것이 2019년 최고의 영화이다.

Answers p.10

[01-02] 다음 중 우리말과 같도록 빈칸에 들어갈 알맞은 말을 고르세요.

01

We ____________ visit her tomorrow.
우리는 내일 그녀를 방문할 것이다.

① go to ② goes to ③ isn't going to
④ aren't going to ⑤ are going to

02

She is the ____________ singer in Korea.
그녀는 한국에서 최고의 가수다.

① most ② best ③ good
④ well ⑤ much

03 다음 대화의 빈칸에 들어갈 알맞은 말을 고르세요.

A Can your mom play the guitar?
B Yes, ____________.

① he can't ② he can ③ she can
④ I can ⑤ they can

04 다음 중 밑줄 친 것의 의미가 다른 것을 고르세요.

① I'm going to read a book.
② She's going to a market now.
③ Jim is going to stay at home.
④ They are going to play tennis.
⑤ We are going to have pizza for lunch.

[05-07] **다음을 읽고 질문에 답하세요.**

Bibimbap is a popular Korean <u>dish</u>.
The term "bibim" means mixing various ingredients, and the "bap" means rice.
It consists of white rice topped with vegetables, beef, a fried egg, and red pepper paste.
You can eat bibimbap anywhere in Korea.
Bibmbap is also popular around the world.
Many foreigners want to try "bibimbap."
I often eat bibimbap ______________ dinner.
Just thinking about it makes my mouth water.

05 다음 중 이 글의 내용과 <u>다른</u> 것을 고르세요.

① 비빔밥은 세계에서 인기 있는 한국 음식이다.
② 비빔은 재료를 섞는다는 의미이다.
③ 비빔밥은 한국 어느 곳에서도 먹을 수 있다.
④ 외국인들도 비빔밥을 먹어 보려고 한다.
⑤ 비빔밥은 글쓴이가 가장 좋아하는 음식이다.

06 다음 중 밑줄 친 <u>dish</u>와 의미가 유사한 것을 고르세요.

① sugar ② rice ③ food
④ recipe ⑤ culture

07 다음 중 이 글의 빈칸에 들어갈 알맞은 말을 고르세요.

① to ② for ③ in
④ at ⑤ on

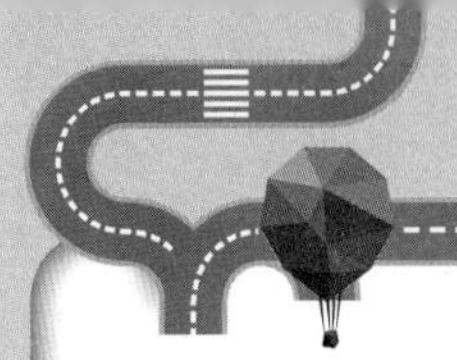

08 다음 중 보기의 설명에 해당하는 단어를 고르세요.

a machine used to bake food

① dough ② animal ③ pizza
④ energy ⑤ oven

09 다음 중 그림을 보고 빈칸에 들어갈 알맞은 말을 고르세요.

First, ___________ various ingredients.

① pour ② keep ③ take
④ mix ⑤ make

[10-11] 다음 중 빈칸에 들어갈 알맞은 말을 고르세요.

10

Many ___________ visit Seoul every year.

① foreigners ② diseases ③ animals
④ vegetables ⑤ nutrients

11

We get our energy from ___________ such as rice, wheat, fruit, and vegetables.

① food ② trees ③ animals
④ woods ⑤ field

12 다음 중 보기의 우리말을 영어로 바르게 표현한 것을 고르세요.

David는 너를 도와주지 않을 것이다.

① David is going to help you.
② David is not going help you.
③ David is not going helping you.
④ David is not going to helping you.
⑤ David is not going to help you.

13 다음 대화의 빈칸에 알맞은 말을 쓰세요.

A Can your friends speak English?
B No, ______________________________.

____

14 다음 우리말과 같도록 주어진 단어를 이용하여 빈칸에 알맞은 말을 쓰세요.

What is the __________ river in Korea? (long)
한국에서 가장 긴 강은 무엇이니?

____

15 다음 영어를 우리말로 쓰세요.

(1) Eating healthy makes us feel good and sleep better.

____

(2) Wait between 8 and 10 minutes for the pizza to cook.

____

Chapter 3 WORD MASTER

TR 5-09-W

다음 단어의 뜻을 쓰고, 단어를 세 번씩 더 써보세요.

01	consist	구성하다	consist	consist	consist
02	contain				
03	delicious				
04	diet				
05	disease				
06	essential				
07	foreigner				
08	healthy				
09	ingredient				
10	mushroom				
11	popular				
12	protect				
13	spread				
14	term				
15	wheat				

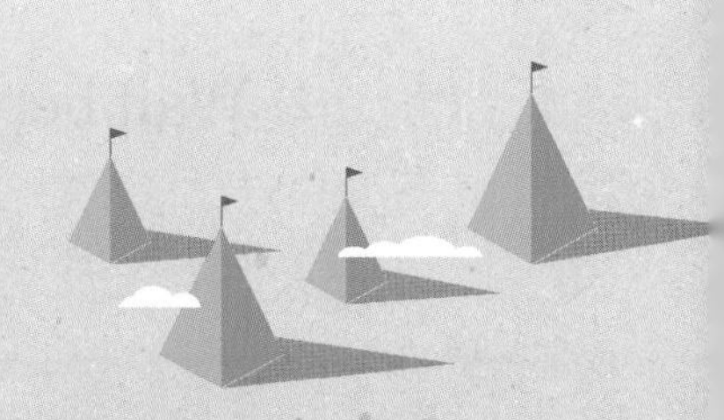

Chapter 4

Music and Musicians

UNIT 1

School Choir

TR5-10

Mike is a member of a school choir.

He is on stage with the other choir members.

They're going to perform at the school gym. (a)

Each member is wearing a uniform. (b)

Mike sings in the bass part of the choir.

The conductor moves his arms and the choir begins to sing. (c)

Their harmony is very beautiful. (d)

All the choir members sing their parts very well.

The concert finishes. (e)

The conductor smiles with joy.

Mike and the other choir members are happy with their performance.

READING CHECK

1 다음 중 이 글의 내용과 다른 것을 고르세요.

① Mike는 합창단 단원이다.

② Mike는 소프라노파트에서 노래한다.

③ 지휘자는 공연에 만족해 한다.

④ 모든 합창단 단원들이 노래를 잘 불렀다.

⑤ Mike는 공연에 만족해 한다.

2 다음 중 보기의 영어가 들어갈 알맞은 곳을 고르세요.

> The audience stands up and begins to clap.

① (a) ② (b) ③ (c)
④ (d) ⑤ (e)

3 다음 중 합창단 지휘자의 심정으로 알맞은 것을 고르세요.

① satisfied ② lonely ③ upset
④ scared ⑤ sad

4 다음 질문에 Yes나 No로 대답하세요.

(1) Is Mike wearing a choir uniform? Yes No

(2) Did the conductor cry with joy? Yes No

(3) Are the choir members satisfied with their performance? Yes No

WORDS

□ **member** 단원 □ **choir** 합창단 □ **perform** 공연하다 □ **gym** 체육관 □ **uniform** 유니폼, 제복
□ **conductor** 지휘자 □ **harmony** 하모니, 화음 □ **concert** 콘서트 □ **finish** 끝나다
□ **smile** 미소 짓다 □ **performance** 공연

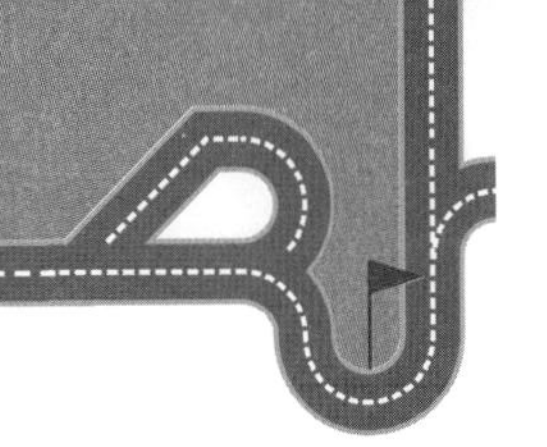

WORD CHECK

1 다음 중 빈칸에 공통으로 들어갈 알맞은 말을 고르세요.

- He is on stage ________ the other choir members.
- They are happy ________ their performance.

① to ② in ③ around
④ on ⑤ with

2 다음 중 joy와 의미가 반대인 것을 고르세요.

① happy ② sorrow ③ empty
④ exciting ⑤ hungry

3 다음 보기에서 빈칸에 알맞은 말을 골라 쓰세요.

finish	member	stage

(1) The woman is performing on ________.

(2) Did you ________ your homework?

(3) Cathy is a ________ of our team.

4 다음 중 보기의 설명에 해당하는 단어를 고르세요.

a group of people singing together

① choir ② soccer ③ member
④ conductor ⑤ audience

GRAMMAR TIME

전치사 with의 의미와 쓰임

1 with의 가장 기본적인 의미는 '~와 함께'입니다.
I live **with** my family. 나는 내 가족과 함께 산다.

2 소유를 나타내서 '~을 가지고 있는', '~이 있는'이란 뜻이지만, 외적인 외모에 대해서 말할 때에도 with를 사용합니다.
He is the man **with** a large head. 그는 머리가 크다.

3 감정, 기분을 말할 때 with를 사용합니다.
I was very angry **with** her. 나는 그녀에게 매우 화가 났다.

1

다음 중 보기의 with와 의미가 같은 것을 고르세요.

I live with my family.

① She cut the apple with a knife.
② Do you know the girl with red hair?
③ I'm happy with my job.
④ I'm going to the movies with my friends.
⑤ Jim was angry with her.

2

다음 영어를 우리말로 쓰세요.

(1) They are happy with my performance.

___

(2) I'm in love with him.

___

(3) I met the boy with blue eyes yesterday.

___

UNIT 2 My Favorite Music

TR 5-11

I like to listen to K-pop music because K-pop music is so energetic and creative.

Some people might not be familiar with K-pop music, but K-pop is popular everywhere in the world.

We can often hear it at the shopping malls and on the radio.

K-pop stands for Korean pop or Korean popular music.

I listen to K-pop music when I'm free.

I especially like watching K-pop music videos on the Internet.

The performances of K-pop singers are really awesome.

I don't understand Korean language, but the style and rhythm of the music are so wonderful.

I feel happy whenever I listen to K-pop music.

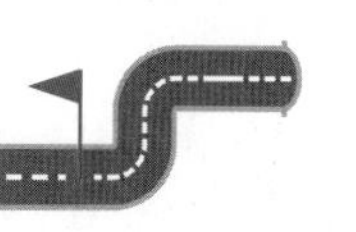

READING CHECK

1

다음 중 이 글의 내용과 다른 것을 고르세요.

① 글쓴이는 케이팝 음악을 좋아한다.
② 글쓴이는 한가한 시간에 케이팝을 듣는다.
③ 케이팝은 전 세계적으로 알려져 있다.
④ 케이팝을 모르는 사람도 있다.
⑤ 글쓴이는 한국어를 잘 할 수 있다.

2

다음 중 글쓴이가 케이팝을 좋아하는 이유를 고르세요.

① 전 세계에서 인기가 있기 때문에
② 활기차고 독창적이기 때문에
③ 라디오에서 자주 들을 수 있기 때문에
④ 노래 내용을 이해할 수 있기 때문에
⑤ 한국어를 배울 수 있기 때문에

3

다음 중 밑줄 친 awesome과 의미가 유사한 단어를 고르세요.

① interesting ② large ③ great
④ boring ⑤ terrible

4

다음 대화의 빈칸에 알맞은 말을 쓰세요.

A What does K-pop stand for?
B It ______________________________.

WORDS

□ **energetic** 활기찬 □ **creative** 창조적인 □ **familiar** 친숙한 □ **stand for** ~을 의미하다
□ **popular music** 대중음악 □ **especially** 특히 □ **awesome** 멋진, 엄청난
□ **understand** 이해하다 □ **language** 언어 □ **rhythm** 리듬 □ **whenever** ~할 때마다

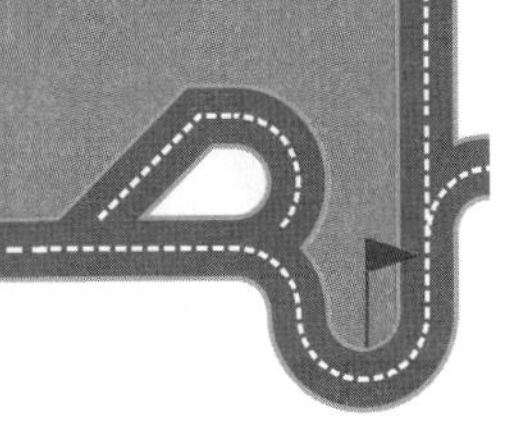

WORD CHECK

1 다음 중 우리말과 같도록 빈칸에 들어갈 알맞은 말을 고르세요.

You can visit me ____________ you want.
원하면 언제든 날 방문해도 좋다.

① wherever ② do ③ where
④ whenever ⑤ whatever

2 다음 보기에서 빈칸에 알맞은 말을 골라 쓰세요.

understand listen creative

(1) The building is ____________________ and artistic.

(2) I don't ____________________ this question.

(3) Please, ____________________ to me carefully.

3 다음 중 그림을 보고 빈칸에 들어갈 알맞은 말을 고르세요.

My brother is always ____________.

① creative ② sorrow ③ energetic
④ sleepy ⑤ boring

4 다음 중 보기의 설명에 해당하는 단어를 고르세요.

an activity such as singing, dancing, or acting in front of an audience

① language ② drawing ③ produce
④ performance ⑤ audience

GRAMMAR TIME

so의 의미와 쓰임

1 so는 '정말(로)', '너무나', '대단히', '매우' 등의 의미를 가지고 있으며 부사로 쓰여 형용사 앞에서 형용사를 꾸며줍니다.
This hotel is **so** good. 이 호텔은 정말 좋다.

2 so는 '그래서'의 의미도 가지고 있으며, 접속사로 쓰여 문장과 문장을 연결하는 역할을 합니다.
I had a cold, **so** I went to see a doctor.
나는 감기에 걸렸다. 그래서 나는 의사에게 갔다.

1 다음 중 빈칸에 올 수 없는 것을 고르세요.

The movie was so ________.

① interesting ② good ③ boring
④ style ⑤ popular

2 다음 영어를 우리말로 쓰세요.

(1) He has no friends, so he feels lonely.

____

(2) The boy is sick, so he can't go to school today.

____

(3) This coffee smells so good.

____

Mozart

TR 5-12

Wolfgang Amadeus Mozart was born in 1756 in Austria.

His father was a composer and music teacher.

Mozart had a talent for music.

He could play the piano and the violin at the age of 3.

He began composing music at the age of 6.

At the age of 7, he started playing in public.

He wrote his first symphonies when he was only 8 years old.

He traveled all over Europe with his father
and performed in public.

He became seriously ill and died at the age of 35 in 1791.

Mozart wrote about 600 compositions in his short life, but his music is still very famous and popular.

Wolfgang Amadeus Mozart is one of the greatest __________ in the world.

READING CHECK

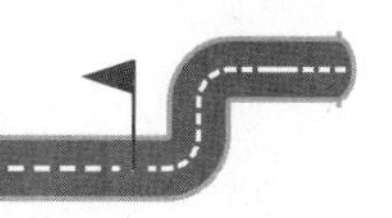

1 다음 중 이 글의 내용과 다른 것을 고르세요.

① 모차르트는 오스트리아에서 태어났다.

② 모차르트는 음악에 재능이 있었다.

③ 모차르트는 8살에 첫 공연을 했다.

④ 모차르트는 35세에 죽었다.

⑤ 모차르트의 음악은 아직도 사랑받고 있다.

2 다음 중 이 글의 제목으로 알맞은 것을 고르세요.

① My Favorite Musician
② Mozart's Life and Music
③ Mozart's Music Style
④ Mozart and His Father
⑤ The Composer and the Music Teacher

3 다음 중 이 글의 빈칸에 들어갈 알맞은 단어를 고르세요.

① singers
② cooks
③ painters
④ teachers
⑤ musicians

4 다음 질문에 Yes나 No로 대답하세요.

(1) Did Mozart write his first symphonies at 8? Yes No

(2) Did Mozart write more than 500 compositions? Yes No

(3) Did Mozart travel Europe alone? Yes No

WORDS

□ **be born** 태어나다 □ **composer** 작곡가 □ **talent** 재능 □ **compose** 작곡하다
□ **in public** 대중 앞에 □ **symphony** 교향곡 □ **travel** 여행하다 □ **perform** 공연하다
□ **seriously** 심각하게 □ **ill** 아픈 □ **composition** 작곡

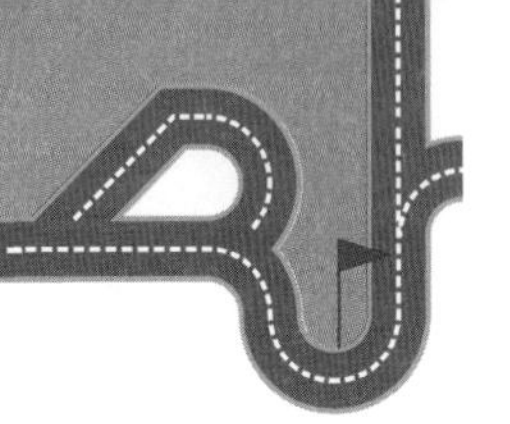

WORD CHECK

1

다음 중 start와 의미가 비슷한 것을 고르세요.

① begin ② write ③ sing
④ cry ⑤ move

2

다음 보기에서 빈칸에 알맞은 말을 골라 쓰세요.

music	travel	famous

(1) I love to ______________ by train.

(2) Korea is ______________ for its delicious dishes.

(3) They like to listen to classical ______________.

3

다음 중 그림을 보고 빈칸에 들어갈 알맞은 말을 고르세요.

He likes to speak in __________.

① public ② people ③ school
④ winter ⑤ harmony

4

다음 중 보기의 설명에 해당하는 단어를 고르세요.

a large musical instrument with a row of black and white keys

① violin ② piano ③ guitar
④ cello ⑤ drums

GRAMMAR TIME

could의 의미와 쓰임

1 could는 can의 과거형으로 '~할 수 있었다'라는 의미로, was[were] able to로 바꾸어 쓸 수 있습니다.

Ted **could** play the piano when he was 5. 테드는 다섯 살 때 피아노를 연주할 수 있었다.

TIPS could의 부정형은 could not으로 couldn't로 줄여서 쓸 수 있습니다.

2 정중하게 상대방에 물어볼 때도 could를 사용합니다.

(1) 내가 무엇을 해도 되는지 상대방에게 물어볼 때

Could I use your phone, please? 전화 좀 써도 될까요?

(2) 무엇을 해 달라고 상대방에게 정중히 부탁할 때

Could you say that again? 다시 한 번 말해 줄래요?

1

다음 영어를 우리말로 쓰세요.

(1) Could I ask you something?

____

(2) He could speak English at the age of 5.

____

(3) Could you pass me the salt?

____

(4) She couldn't get up early yesterday.

____

(5) Could you please speak more slowly?

____

Answers p.12

01 다음 중 빈칸에 올 수 없는 것을 고르세요.

The book is so ________.

① interesting ② quickly ③ boring
④ heavy ⑤ popular

[02-03] 다음 중 우리말과 같도록 빈칸에 들어갈 알맞은 말을 고르세요.

02

________ I use your pen, please?
연필을 좀 써도 될까요?

① Are ② Am ③ Could
④ Does ⑤ Let's

03

He lives ________ his grandmother.
그는 할머니와 함께 산다.

① along ② to ③ in
④ on ⑤ with

04 다음 중 밑줄 친 것이 어색한 것을 고르세요.

① He can play the piano at the age of 3.
② Mozart wrote about 600 compositions.
③ Mozart had a talent for music.
④ They played tennis yesterday.
⑤ We watched a baseball game last night.

[05-06] 다음을 읽고 질문에 답하세요.

Wolfgang Amadeus Mozart was born in 1756 in Austria.
He could play the piano and the violin at the age of 3.
He began composing music at the age of 6.
At the age of 7, he started playing in public.
He wrote his first symphonies when he was only 8 years old.
He traveled all over Europe with his father and ________ in public.
He died at the age of 35 in 1791.
Mozart wrote about 600 compositions in his short life.

05 다음 중 이 글에서 언급하지 않은 것을 고르세요.

① 모차르트가 태어난 나라
② 모차르트가 작곡을 시작한 시기
③ 모차르트가 첫 교향곡을 작곡한 시기
④ 모차르트가 사망한 연도
⑤ 모차르트가 사망한 원인

06 다음 중 이 글의 빈칸에 들어갈 알맞은 것을 고르세요.

① wrote
② began
③ composed
④ performed
⑤ showed

07 다음 중 빈칸에 들어갈 알맞은 것을 고르세요.

The style and rhythm of the music are ________ wonderful.

① many
② so
③ slow
④ real
⑤ as

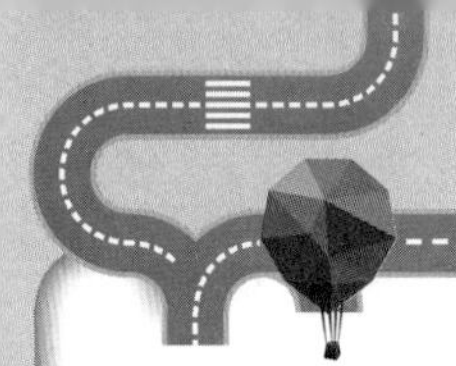

08 다음 중 보기의 설명에 해당하는 단어를 고르세요.

a musical instrument with 4 strings

① piano ② music teacher ③ violin
④ talent ⑤ life

09 다음 중 그림을 보고 빈칸에 들어갈 알맞은 말을 고르세요.

The ____________ began to sing.

① conductors ② audience
③ choir ④ performance
⑤ harmony

[10-11] 다음 중 우리말과 같도록 빈칸에 들어갈 알맞은 말을 고르세요.

10

Mozart died at the age of 35 in 1791, and he wrote about 600 compositions in his ____________ life.
모차르트는 1791년에 35살로 죽었고 짧은 삶 동안 대략 600곡을 작곡했다.

① healthy ② short ③ easy
④ new ⑤ rich

11

I feel happy ____________ I listen to K-pop music.
나는 케이팝 음악을 들을 때마다 행복하다.

① what ② but ③ because of
④ so ⑤ whenever

12 다음 중 보기의 우리말을 영어로 바르게 표현한 것을 고르세요.

나는 감기에 걸렸다. 그래서 나는 의사에게 갔다.

① I had a cold, so I went to see a doctor.
② I had a cold because I went to see a doctor.
③ I had a cold when I went to see a doctor.
④ I had a cold, but I went to see a doctor.
⑤ I had a cold whenever I went to see a doctor.

13 다음 보기에서 빈칸에 알맞은 말을 골라 쓰세요.

smile	talent	Korea

(1) He has a ________________ for painting.

(2) The song is very popular in ________________.

(3) His ________________ was warm and friendly.

14 다음 우리말과 같도록 빈칸에 알맞은 말을 쓰세요.

___________ you pass me the salt? 나한테 소금 좀 전해 주겠어요?

____

15 다음 영어를 우리말로 쓰세요.

(1) K-pop stands for Korean pop or Korean popular music.

____

(2) Mike sings in the bass part of the choir.

____

WORD MASTER

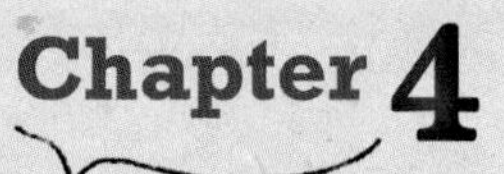

TR 5-12-W

다음 단어의 뜻을 쓰고, 단어를 세 번씩 더 써보세요.

01	awesome	멋진	awesome	awesome	awesome
02	choir				
03	composer				
04	conductor				
05	creative				
06	energetic				
07	familiar				
08	ill				
09	language				
10	member				
11	musician				
12	performance				
13	rhythm				
14	seriously				
15	understand				

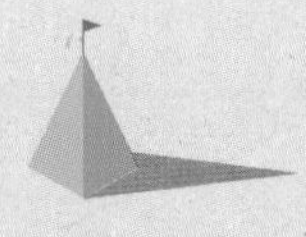

Chapter 5

Cultures and Customs

UNIT 1 Food Culture
UNIT 2 Traditional Clothes
UNIT 3 Trip to Hong Kong

Unit 1 Food Culture

TR 5-13

In Korea, people eat rice for breakfast.

In America, people eat pancakes, bacon, and eggs for breakfast.

In Japan, sashimi is very popular, but in some countries people don't eat ________.

In Korea, people eat rice with side dishes, but in western countries they don't have side dishes.

In some countries like Korea and China, people use spoons and chopsticks when they eat.

In some countries like India and Sri Lanka, people eat with their hands.

In some countries, people use forks and knives when they eat.

Every country has its own food culture.

We have to respect the cultures and customs of other countries.

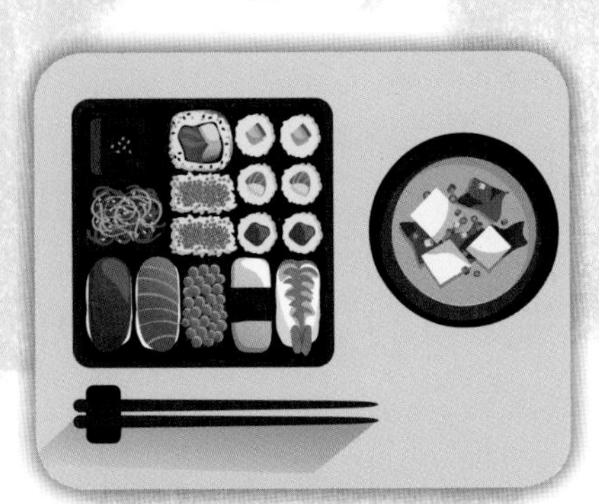

READING CHECK

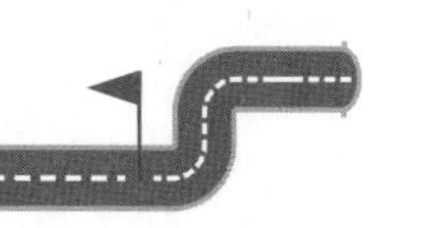

1 다음 중 이 글의 주제로 알맞은 것을 고르세요.

① Food for Breakfast
② Rice and Side Dishes
③ Asian Food and Western Food
④ Asian People and Western People
⑤ Different Foods and Different Cultures

2 다음 중 이 글의 빈칸에 들어갈 알맞은 말을 고르세요.

① noodles ② raw fish ③ meat
④ bread ⑤ rice

3 다음 중 이 글의 내용과 다른 것을 고르세요.

① 일본인들은 생선회를 좋아한다.
② 미국인들은 생선회를 좋아하지 않는다.
③ 일부 나라의 사람들은 손을 이용해 먹는다.
④ 일부 나라의 사람들은 포크와 칼을 이용해 먹는다.
⑤ 각 나라는 고유의 음식 문화가 있다.

4 다음 대화의 빈칸에 알맞은 말을 쓰세요.

A What do Americans eat for breakfast?
B They ______________________________.

WORDS

□ **rice** 밥 □ **sashimi** 회 □ **country** 나라 □ **side dish** 반찬 □ **western** 서양의
□ **use** 사용하다 □ **chopsticks** 젓가락 □ **knife** 칼 □ **own** 자신의 □ **culture** 문화
□ **respect** 존중하다 □ **custom** 관습

WORD CHECK

1 다음 중 보기 대답에 알맞은 질문을 고르세요.

> I eat pancakes.

① What's your favorite food?
② What do you have for breakfast?
③ How many pancakes do you need?
④ Do you like pancakes?
⑤ What time do you have breakfast?

2 다음 보기에서 빈칸에 알맞은 말을 골라 쓰세요.

> **spoons** **eggs** **knife**

(1) Do you want bacon and ________________ for breakfast?

(2) My mom cuts bread with a ________________.

(3) We use ________________ and chopsticks to eat.

[3-4] 다음 중 보기의 설명에 해당하는 단어를 고르세요.

3

> the first meal of the day

① shower ② Sunday ③ night
④ morning ⑤ breakfast

4

> a pair of thin sticks used for eating

① gloves ② hands ③ forks
④ chopsticks ⑤ socks

GRAMMAR TIME

have to의 의미와 쓰임

1 have to 다음에는 반드시 동사원형이 옵니다.

2 '~해야 하다'라는 의미를 가지고 있어 정말 안 하면 안 되는 상황일 때 사용합니다.
You **have to** wear a tie. 너는 넥타이를 착용해야 한다.

3 주어가 3인칭 단수일 때에는 has to로 바꿔야 합니다.
She **has to** finish her homework. 그녀는 숙제를 끝마쳐야 한다.

4 don't have to는 '~할 필요가 없다'라는 의미입니다.
You **don't have to** bring your lunch. 너는 점심을 가져올 필요가 없다.

1 다음 괄호 안에서 알맞은 것을 고르세요.

(1) Sam (has to / have to) bring his lunch.

(2) They have to (practice / practicing) dancing.

(3) You always (has to / have to) wear a helmet.

2 다음 영어를 우리말로 쓰세요.

(1) She doesn't have to go to school today.

____

(2) You have to respect your parents.

____

(3) Alice has to stay home tonight.

____

UNIT 2 Traditional Clothes

TR 5-14

Sam Hi, Mina. Where are you going?

Mina Hi, Sam. I'm going to the shopping mall.

Sam What for?

Mina I'm going to rent a Hanbok there.

Sam What is a Hanbok?

Mina It's a Korean __________ dress.
I'm going to wear it on my uncle's wedding this Sunday.

Sam Oh, I see.
Do you like wearing a Hanbok?

Mina Yes, I do. I wear a Hanbok on special occasions like festivals, weddings, and ceremonies.

Sam Can I go to the shopping mall with you?
I want to see you wearing a Hanbok.

Mina Sure. No problem.

READING CHECK

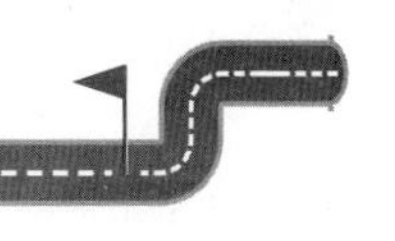

1 다음 중 이 대화의 내용과 다른 것을 고르세요.

① Mina는 쇼핑몰에 가는 중이다. ② Sam은 한복에 대해 알지 못한다.
③ Mina는 결혼식에 참석할 것이다. ④ Sam은 Mina와 쇼핑몰에 함께 갈 것이다.
⑤ Sam은 한국 전통에 관심이 많다.

2 다음 중 이 글의 빈칸에 들어갈 알맞은 말을 고르세요.

① new ② traditional ③ white
④ great ⑤ modern

3 다음 질문에 Yes나 No로 대답하세요.

(1) Does Sam want to go to the shopping mall with Mina? Yes No

(2) Did Mina invite Sam to the wedding? Yes No

(3) Does Sam want to buy a Hanbok? Yes No

4 다음 주어진 단어를 이용하여 대화의 빈칸에 알맞은 말을 쓰세요.

A What is Mina going to do this Sunday? (attend)
B She ______________________________________.

WORDS

□ **shopping mall** 쇼핑몰 □ **what for** 무엇 때문에, 왜 □ **wear** 입다 □ **wedding** 결혼식
□ **special** 특별한 □ **occasion** 행사, 사건 □ **festival** 축제 □ **ceremony** 시상식

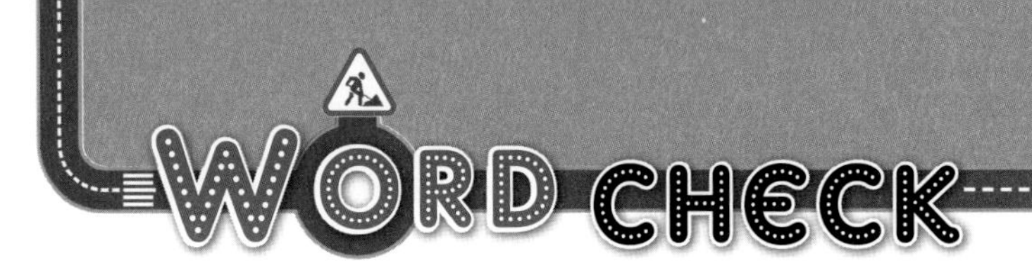

1 다음 중 보기 답변에 알맞은 질문을 고르세요.

I'm going to the grocery store.

① Do you go to the grocery store?
② Can you show me the way to the grocery store?
③ Where is the grocery store?
④ What are you doing in the store?
⑤ Where are you going?

2 다음 보기에서 빈칸에 알맞은 말을 골라 쓰세요.

rent dress festival

(1) I want to ________________ a car for 3 days.

(2) There's a flower ________________ in town today.

(3) That ________________ is too small for you.

[3-4] 다음 중 보기의 설명에 해당하는 단어를 고르세요.

3

the day after Saturday and before Monday

① Thursday ② Sunday ③ weekend
④ Friday ⑤ holiday

4

a marriage ceremony

① dress ② wedding ③ birthday party
④ tradition ⑤ gift

일반동사의 의문문

일반동사가 있는 문장을 의문문으로 만들려면 Do/Does를 문장 앞에 쓰고, 주어는 그대로 두며, 동사를 원형으로 만듭니다. 그리고 문장 끝에 물음표(?)를 붙입니다.

Do	I / you / we / they / 복수 주어	동사원형 ~?
Does	she / he / it / 단수 주어	

You love him. 너는 그를 사랑한다.
→ **Do** you **love** him? 너는 그를 사랑하니?
He loves me. 그는 나를 사랑한다.
→ **Does** he **love** me? 그는 나를 사랑하니?
The boys swim in the river. 그 소년들은 강에서 수영을 한다.
→ **Do** the boys **swim** in the river? 그 소년들이 강에서 수영을 하니?
She likes pizza. 그녀는 피자를 좋아한다.
→ **Does** she **like** pizza? 그녀는 피자를 좋아하니?

1 다음 문장을 의문문으로 만들 때 빈칸에 알맞은 표현을 쓰세요.

(1) You study history.
→ ______________ you ______________ history?

(2) She studies history.
→ ______________ she ______________ history?

(3) They study history.
→ ______________ they ______________ history?

(4) Mary and Kevin study history.
→ ______________ Mary and Kevin ______________ history?

Trip to Hong Kong

TR 5-15

Cindy Do you have any plans for the upcoming vacation?

Mike Yes, I do. I'm going on a trip to Hong Kong with my family.

Cindy Wow! That sounds fun.

Mike Yeah. I'm so excited.

Cindy Do you know that the traffic system in Hong Kong is different from Korea?

Mike No, I don't.

Cindy We drive on the right side of the road, but in Hong Kong, people drive on the left side of the road.

Mike Really?

Cindy Yes. The steering wheel is on the right side of the car.

Mike Oh, that's interesting.

Cindy Be careful when you cross the street.

Mike Okay. Thanks for the tip.

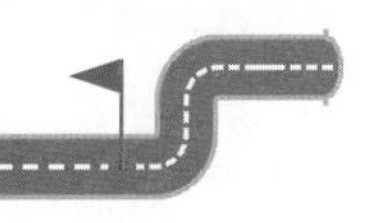

1 다음 중 이 대화의 주제로 알맞은 것을 고르세요.

① Vacation Plans
② Traffic System in Hong Kong
③ Hotels in Hong Kong
④ Different School Systems
⑤ Field Trip

2 다음 중 이 글의 내용과 다른 것을 고르세요.

① Mike는 가족과 홍콩에 갈 것이다.
② 홍콩은 자동차가 왼쪽으로 다닌다.
③ 홍콩의 자동차들은 운전대가 오른쪽에 있다.
④ 한국은 자동차가 오른쪽으로 다닌다.
⑤ Mike는 홍콩과 한국의 교통시스템에 대해 잘 알고 있다.

3 다음 중 밑줄 친 것을 대신할 수 있는 표현을 고르세요.

① I can't wait to go on a trip.
② I don't want to do it.
③ I'm very full now.
④ Hong Kong is a beautiful city.
⑤ I want to go on a trip with my family.

4 다음 중 steering wheel에 해당하는 것을 고르세요.

① 
② 
③ 
④ 

⑤ 

WORDS

□ **upcoming** 다가오는 □ **vacation** 방학, 휴가 □ **trip** 여행 □ **excited** 신나는 □ **traffic** 교통
□ **different** 다른 □ **steering wheel** 운전대 □ **careful** 조심하는 □ **cross** 건너다
□ **street** 길, 거리 □ **tip** 정보

WORD CHECK

1

다음 중 빈칸에 들어갈 알맞은 것을 고르세요.

He was so ________ because he bought a new computer.

① yummy ② sad ③ excited
④ different ⑤ tall

2

다음 보기에서 빈칸에 알맞은 말을 골라 쓰세요.

street	drive	vacation

(1) When does your ________ begin?

(2) Could you ________ me home?

(3) A lot of people are on the ________.

3

다음 중 **trip**과 의미가 비슷한 것을 고르세요.

① vacation ② meeting ③ journey
④ fun ⑤ system

4

다음 중 보기의 설명에 해당하는 단어를 고르세요.

a motor vehicle

① wheel ② bicycle ③ car
④ house ⑤ horse

GRAMMAR TIME

[Do / Does ~?] 의문문에 대한 대답

Do나 Does를 사용한 일반동사 의문문에 대해서는 아래와 같이 대답할 수 있습니다.

질문	예	아니요
Do you like apples? 너는 사과를 좋아하니?	Yes, I do.	No, I don't.
Do you(너희들) like apples? 너희들은 사과를 좋아하니?	Yes, we do.	No, we don't.
Do they like apples? 그들은 사과를 좋아하니?	Yes, they do.	No, they don't.
Does he like apples? 그는 사과를 좋아하니?	Yes, he does.	No, he doesn't.
Does she like apples? 그녀는 사과를 좋아하니?	Yes, she does.	No, she doesn't.
Does it like apples? 그것은 사과를 좋아하니?	Yes, it does.	No, it doesn't.

1 다음 Do/Does를 이용한 대화의 빈칸에 알맞은 말을 쓰세요.

(1) **A** ______________ they learn English?

B No, ______________ ______________.

(2) **A** ______________ your brother have a computer?

B Yes, ______________ ______________.

(3) **A** ______________ your friends play computer games?

B No, ______________ ______________.

2 다음 중 보기 질문에 알맞은 대답을 고르세요.

Does the dolphin jump high?

① Yes, they do. ② No, they don't. ③ Yes, it does.
④ Yes, I do. ⑤ No, you don't.

Answers p.16

[01-02] 다음 중 빈칸에 들어갈 알맞은 말을 고르세요.

01

Today is Sunday, so you ________ go to school today.

① aren't ② don't have ③ don't have to
④ have to ⑤ don't has to

02

________ your sister have a computer?

① Do ② Does ③ Is
④ Are ⑤ Could

03 다음 중 대화의 빈칸에 들어갈 알맞은 말을 고르세요.

A Do the boys like apples?
B No, ________________.

① he doesn't ② it doesn't ③ you don't
④ they don't ⑤ she doesn't

04 다음 중 밑줄 친 것이 어색한 것을 고르세요.

① You have to wash your hands before eating.
② Does he love me?
③ He doesn't have to wear a tie.
④ Does you and Mike have a smartphone?
⑤ Do they learn English?

[05-06] 다음을 읽고 질문에 답하세요.

Sam Hi, Mina. Where are you going?

Mina Hi, Sam. I'm going to the shopping mall.

Sam What for?

Mina I'm going to rent a Hanbok there.

Sam What is a Hanbok?

Mina It is a Korean traditional dress.
I'm going to ___________ it on my uncle's wedding this Sunday.

Sam Oh, I see. Can I go to the shopping mall with you?
I want to see you wearing a Hanbok.

Mina Sure. No problem.

05 다음 중 이 글에서 언급하지 않은 것을 고르세요.

① Mina가 쇼핑몰에 가는 이유
② Mina가 한복을 빌리는 이유
③ Mina의 삼촌 결혼식이 열리는 요일
④ Sam이 Mina와 쇼핑몰에 함께 가려는 이유
⑤ Mina가 한복을 빌리는 기간

06 다음 중 이 글의 빈칸에 들어갈 알맞은 것을 고르세요.

① buy ② begin ③ wear
④ fix ⑤ make

07 다음 중 빈칸에 들어갈 알맞은 것을 고르세요.

In Korea, people eat rice with side dishes, ___________ in western countries they don't have side dishes.

① and ② so ③ but
④ when ⑤ because

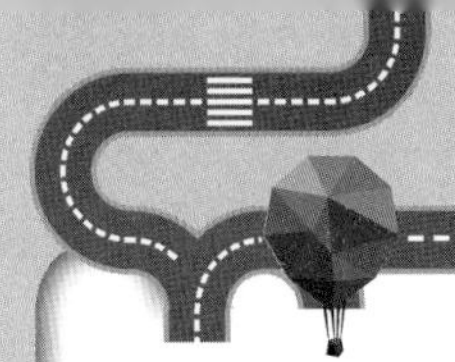

08 다음 중 보기의 설명에 해당하는 단어를 고르세요.

a tool for cutting

① knife ② fork ③ rice
④ spoon ⑤ country

09 다음 중 그림을 보고 빈칸에 들어갈 알맞은 말을 고르세요.

He uses ____________ and a knife when he eats.

① chopsticks ② a dish
③ a fork ④ hands
⑤ teeth

[10-11] 다음 중 빈칸에 들어갈 알맞은 말을 고르세요.

10

I'm going on a trip to Korea tomorrow. I'm so ____________.

① careful ② excited ③ dangerous
④ serious ⑤ sad

11

Be careful ____________ you cross the street.

① what ② do ③ because
④ and ⑤ when

12 다음 보기의 우리말을 영어로 바르게 표현한 것을 고르세요.

너는 항상 헬멧을 착용해야 한다.

① You have always to wear a helmet.
② You always has to wear a helmet.
③ You always have to wear a helmet.
④ You always have to wearing a helmet.
⑤ You have always to wearing a helmet.

13 다음 보기에서 빈칸에 알맞은 말을 골라 쓰세요.

drive **special** **chopsticks**

(1) He cannot use ________________ well.

(2) I have no ________________ plans this weekend.

(3) Could you ________________ me home?

14 다음 대화의 빈칸에 알맞은 말을 쓰세요.

A ________________ your friends learn Chinese?
B No, ________________ ________________.

A ________________ **B** ________________ ________________

15 다음 영어를 우리말로 쓰세요.

(1) Do you have any plans for the upcoming vacation?

____

(2) We have to respect the cultures and customs of other countries.

____

Chapter 5

WORD MASTER

TR 5-15-W

다음 단어의 뜻을 쓰고, 단어를 세 번씩 더 써보세요.

01	ceremony	시상식	ceremony	ceremony	ceremony
02	chopsticks				
03	country				
04	cross				
05	culture				
06	custom				
07	excited				
08	festival				
09	occasion				
10	respect				
11	special				
12	street				
13	traffic				
14	trip				
15	upcoming				

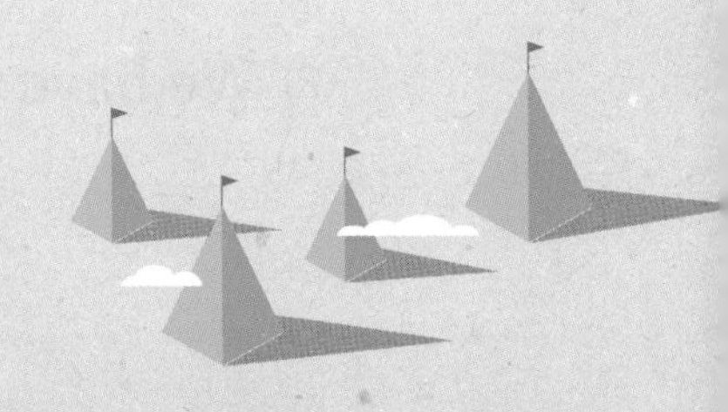

Chapter 6

Places

UNIT 1 Museum

UNIT 2 Korea

UNIT 3 Hotel

Unit 1 Museum

There is a museum in my town.

I visited the museum with my family last Saturday.

The museum is quite big and has exhibition rooms on the 2nd and 3rd floors.

Each room displays great artworks such as paintings, ________, potteries, and jewelry.

We were excited to see different kinds of artworks.

My sister and I were surprised to see the huge skeleton of a dinosaur.

Photos were not allowed in the museum, so I couldn't take pictures of the paintings and the sculptures.

NO TAKING PICTURE

But I had a wonderful experience at the museum.

The museum is indeed a storehouse of knowledge.

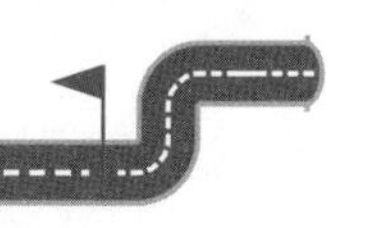

1 다음 중 이 글의 내용과 다른 것을 고르세요.

① 나는 가족과 함께 박물관을 방문했다.
② 전시실은 2층과 3층에 있다.
③ 박물관에는 다양한 예술품들이 있다.
④ 박물관에서는 사진을 찍을 수 없다.
⑤ 공룡은 3층에 전시되어 있다.

2 다음 중 이 글의 빈칸에 들어갈 알맞은 말을 고르세요.

① animals ② sculptures ③ exhibition rooms
④ tickets ⑤ my friends

3 다음 중 글쓴이가 박물관을 방문한 후 느낀 감정을 고르세요.

① tired ② satisfied ③ boring
④ sleepy ⑤ angry

4 다음 중 밑줄 친 wonderful을 대신할 수 있는 말을 고르세요.

① many ② so ③ often
④ fast ⑤ great

WORDS

□ **museum** 박물관 □ **town** 마을, 동네 □ **exhibition** 전시회 □ **display** 전시하다 □ **artwork** 예술품
□ **sculpture** 조각품 □ **pottery** 도자기 □ **jewelry** 보석 □ **skeleton** 뼈대 □ **dinosaur** 공룡
□ **allow** 허락하다 □ **storehouse** 창고 □ **knowledge** 지식

WORD CHECK

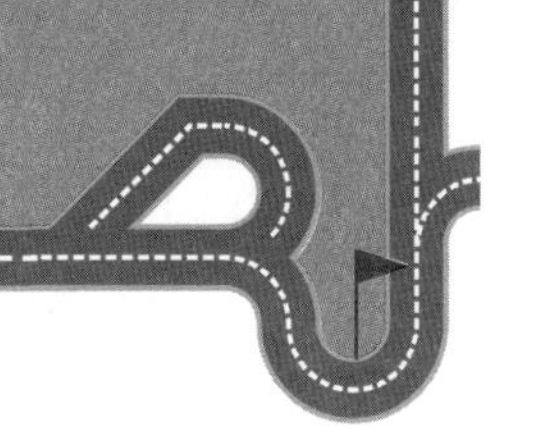

1

다음 중 빈칸에 들어갈 알맞은 말을 고르세요.

As it was raining, we ______________ go out.

① don't　② couldn't　③ cannot
④ are not　⑤ were not

2

다음 보기에서 빈칸에 알맞은 말을 골라 쓰세요.

surprised　jewelry　excited

(1) The man is selling ______________________.

(2) I am ______________________ to buy a new computer.

(3) He was so ______________________ to hear the news.

[3-4] 다음 중 보기의 설명에 해당하는 단어를 고르세요.

3

large reptiles that lived on the Earth millions of years ago

① museums　② dinosaurs　③ artworks
④ paintings　⑤ photos

4

necklaces, rings, or bracelets made of precious metal

① hat　② store　③ picture
④ jewelry　⑤ computer

GRAMMAR TIME

다의어 알아보기

1 다의어란 하나의 낱말이 두 가지 이상의 의미로 쓰이는 단어를 의미합니다.

2 자주 사용하는 다의어

book	① 책 ② 예약하다 I want to **book** a room. 나는 방을 예약하고 싶다.
free	① 자유로운, 한가한 ② 무료의 The coffee is **free**. 그 커피는 무료이다.
order	① 순서 ② 명령 ③ 주문 ④ 명령하다 May I take your **order**? 주문하시겠어요?
change	① 변화 ② 잔돈 ③ 바꾸다 Can I **change** seats with you? 너와 자리를 바꿀 수 있니? Do you have **change** for five dollars? 5달러 바꿔 줄 잔돈이 있니?
break	① 부수다 ② 휴식 Let's take a **break**. 휴식하자.
fire	① 불 ② 발사하다 ③ 해고하다 Stay away from the **fire**. 불에서 떨어져 있어라. The boss **fired** her. 사장은 그녀를 해고했다.
second	① 초 ② 잠깐 ③ 두 번째의 Wait a **second**. 잠깐 기다려라. Jack runs 100 meters in 15 **seconds**. 잭은 100미터를 15초에 달린다.

1

다음 영어를 우리말로 쓰세요.

(1) Her office is on the 2nd floor.

____

(2) I want to change my job.

____

(3) Are you free tomorrow night?

____

Unit 2 Korea

TR 5-17

The name of my country is Korea.

Korea is in Northeast Asia.

Korea is a country rich in culture and heritage.

Korea is a country with a long history.

Korea is known for its beautiful scenery and historic sites.

Koreans use their own alphabet called Hangul.

It is one of the most efficient alphabets in the world.

Korea is a very developed country and has many big cities.

Seoul is the capital of Korea.

Korea hosted the Summer Olympic games in 1988 and the Winter Olympic games in 2018.

Korea also hosted the World Cup games in 2002.

I am proud of my country.

1

다음 중 이 글의 내용과 다른 것을 고르세요.

① 한국은 오랜 역사를 가지고 있다.
② 한국에는 대도시들이 있다.
③ 한글은 매우 효율적이 문자다.
④ 한국은 아름다운 경치를 가지고 있다.
⑤ 한국에서는 올림픽이 한 번 열렸다.

2

다음 중 밑줄 친 known for를 대신할 수 있는 말을 고르세요.

① care for ② famous for ③ looking for
④ waiting for ⑤ ready for

3

다음 중 빈칸에 들어갈 알맞은 말을 고르세요.

Hangul is a very ____________ language.

① peaceful ② free ③ careful
④ efficient ⑤ long

4

다음 대화의 빈칸에 알맞은 말을 고르세요.

A Where is Korea located?
B Korea is ____.

WORDS

□ **country** 나라 □ **culture** 문화 □ **heritage** 유산 □ **history** 역사 □ **scenery** 풍경, 경치
□ **site** 장소 □ **own** 자신의 □ **alphabet** 문자 □ **efficient** 효율적인 □ **developed** 발달한
□ **city** 도시 □ **host** 개최하다 □ **proud** 자랑스러운

WORD CHECK

1 다음 중 우리말과 같도록 빈칸에 들어갈 알맞은 말을 고르세요.

The town is famous for its beautiful ________.
그 마을은 아름다운 풍경으로 유명하다.

① buildings ② mountain ③ sunrise
④ scenery ⑤ culture

2 다음 보기에서 빈칸에 알맞은 말을 골라 쓰세요.

alphabet	country	rich

(1) Some people are really ________.

(2) There are 26 letters in the English ________.

(3) Canada is a very big ________.

[3-4] 다음 중 보기의 설명에 해당하는 단어를 고르세요.

3

a large town

① nature ② city ③ country
④ history ⑤ floor

4

the season between spring and autumn

① winter ② vacation ③ summer
④ fall ⑤ flower

GRAMMAR TIME

소유격의 의미와 쓰임

1 소유격은 물건이 누구의 것인지 나타내는 표현입니다.
소유격 다음에는 반드시 명사가 오며, 해석은 '~의'라고 합니다.

2 소유격

my 나의	your 너의(너희들의)	his 그의	her 그녀의	its 그것의	our 우리의	their 그들의

my book 나의 책 **his** car 그의 자동차 **their** house 그들의 집

3 명사의 소유격은 명사 뒤에 's를 붙이면 됩니다.
Jane's book 제인의 책 my **father's** car 내 아버지의 자동차
Kevin's friend 케빈의 친구 the **girl's** piano 그 소녀의 피아노

4 무생물의 경우에는 of를 사용합니다.
the legs **of** the table (o) 그 식탁의 다리 the table's legs (x)

1 다음 중 빈칸에 올 수 없는 말을 고르세요.

They take care of ________ cat.

① his ② her ③ our
④ their ⑤ it

2 다음 우리말과 같도록 빈칸에 알맞은 말을 쓰세요.

(1) She helps ________________ mother.
그는 그녀의 어머니를 도와준다.

(2) They don't have ________________ own house.
그들은 그들 자신의 집이 없다.

TR 5-18

We stayed at a hotel last week.

The hotel was located near the beach.

Our room had twin beds, a telephone, a TV, a sofa, and an air conditioner.

We could see the ocean view from our room.

The room was clean, and the beds were very comfortable.

There was a large indoor swimming pool at the hotel.

We entered the swimming pool for free, and the hotel provided beach towels for us.

The housekeeper cleaned the room every day.

The staff were all very friendly and kind, and the food was really good.

We had a ________ time at the hotel.

Thank you very much for your hospitality during our stay last week.

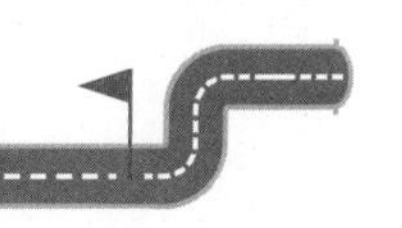

1 다음 중 이 글의 내용과 다른 것을 고르세요.

① 호텔은 해변 근처에 있다. ② 방에서 해변을 볼 수 있다.
③ 호텔에 수영장이 있다. ④ 수영장 입장료는 무료다.
⑤ 방에는 발코니가 있었다.

2 다음 중 방을 청소한 사람을 고르세요.

① the author ② the hotel manager
③ the housekeeper ④ the author's friends
⑤ the author's parents

3 다음 중 이 글의 빈칸에 들어갈 알맞은 말을 고르세요.

① sad ② angry ③ full
④ clean ⑤ great

4 다음 중 보기 대답에 알맞은 질문을 고르세요.

The food was really good.

① How was the food? ② Where was the food?
③ What was the food? ④ When do you eat food?
⑤ What's your favorite food?

WORDS

□ **stay** 머무르다 □ **near** 근처에 □ **beach** 해변 □ **ocean view** 바다 전망 □ **comfortable** 편안한
□ **indoor** 실내의 □ **enter** 들어가다 □ **provide** 제공하다 □ **housekeeper** 객실 매니저
□ **staff** 직원 □ **friendly** 다정한 □ **hospitality** 호의

WORD CHECK

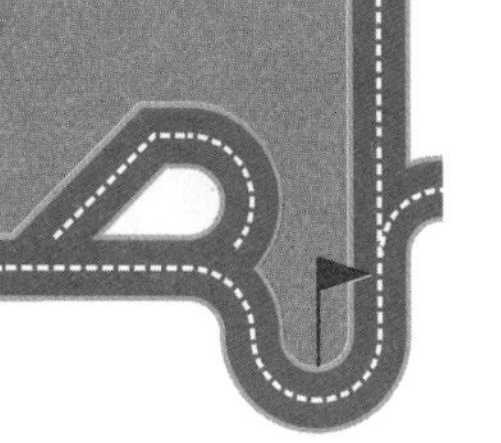

1 다음 중 우리말과 같도록 빈칸에 들어갈 알맞은 말을 고르세요.

My house is ____________ the river.
나의 집은 강 근처에 있다.

① in front of ② near ③ far
④ to ⑤ behind

2 다음 중 indoor와 의미가 반대인 것을 고르세요.

① inside ② backdoor ③ outdoor
④ neighbor ⑤ doorbell

[3-4] 다음 중 보기의 설명에 해당하는 단어를 고르세요.

3

a piece of thick soft cloth

① sofa ② bed ③ towel
④ table ⑤ telephone

4

an area of sand beside the sea

① swimming pool ② sofa ③ room
④ beach ⑤ hotel

GRAMMAR TIME

부정을 나타내는 단어

다음 단어 앞에 un을 붙이면 부정이나 반대의 뜻을 가지게 됩니다.

able 할 수 있는	↔	**un**able 할 수 없는	comfortable 편안한	↔	**un**comfortable 불편한
lucky 행복한	↔	**un**lucky 불행한	necessary 필요한	↔	**un**necessary 불필요한
fair 공정한	↔	**un**fair 불공정한	kind 친절한	↔	**un**kind 불친절한
known 알려진	↔	**un**known 알려지지 않은	happy 행복한	↔	**un**happy 불행한

1 **다음 우리말과 같도록 빈칸에 알맞은 말을 쓰세요.**

(1) She looks ____________________.
그녀는 불행해 보인다.

(2) Some are kind, and others are ____________________.
친절한 사람이 있는가 하면 불친절한 사람도 있다.

(3) She is ____________________ to walk long distances.
그녀는 먼 거리는 걸을 수 없다.

(4) The seats are very ____________________.
그 좌석들은 매우 불편하다.

(5) It is ____________________ information.
그것은 필요 없는 정보이다.

Answers p.18

[01-02] 다음 중 우리말과 같도록 빈칸에 들어갈 알맞은 말을 고르세요.

01

May I take your ________?
주문하시겠어요?

① call ② money ③ answer
④ order ⑤ coat

02

The birds build ________ nests on tall trees.
그 새들은 높은 나무에 그들의 둥지를 짓는다.

① his ② her ③ our
④ his ⑤ their

03 다음 중 관계가 나머지와 다른 것을 고르세요.

① fair – unfair ② lucky – unlucky
③ till – until ④ happy – unhappy
⑤ kind – unkind

04 다음 중 밑줄 친 것이 어색한 것을 고르세요.

① I don't have your pencil.
② It's my father's car.
③ Fasten your seatbelt.
④ She helps her father.
⑤ I want to change it's color.

[05-06] **다음을 읽고 질문에 답하세요.**

I often visit the museum with my friends.
The museum has exhibition rooms on the 2nd floor.
There are a lot of great artworks in the exhibition rooms.
We can see paintings and sculptures.
We have to be quiet in the exhibition rooms.
We're not allowed to use mobile phones in the museum.
You ____________ buy tickets.
Admission to the museum is free.

05 다음 중 이 글에서 언급하지 않은 것을 고르세요.

① 전시장 위치
② 전시장 크기
③ 전시장에서 금지 사항
④ 전시하고 있는 작품
⑤ 입장 요금

06 다음 중 이 글의 빈칸에 들어갈 알맞은 것을 고르세요.

① no have to
② don't have to
③ have to
④ don't has to
⑤ don't have

07 다음 두 문장이 의미가 같도록 빈칸에 들어갈 알맞은 말을 고르세요.

You're not allowed to use your mobile phone in the museum.
= You ____________ use your mobile phone in the museum.

① always
② are not
③ don't have to
④ can't
⑤ could

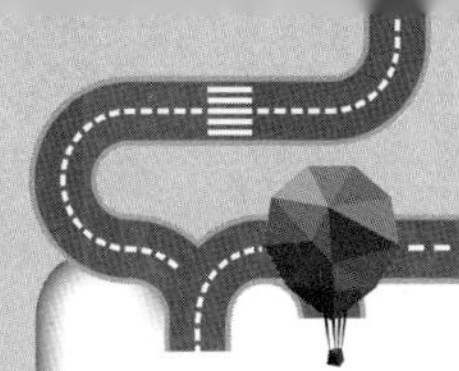

08 다음 중 보기의 설명에 해당하는 단어를 고르세요.

a device for speaking to someone

① telephone ② sofa ③ pool
④ hotel ⑤ room

09 다음 중 그림을 보고 빈칸에 들어갈 알맞은 말을 고르세요.

We could see the ____________ view from the balcony.

① garden ② ocean ③ mountain
④ river ⑤ new

[10-11] 다음 중 빈칸에 들어갈 알맞은 말을 고르세요.

10

Our soccer team played well today, so I'm ____________ of our members.

① proud ② excited ③ love
④ care ⑤ good

11

Korea hosted the Summer Olympic games ____________ 1988.

① to ② at ③ on
④ in ⑤ during

12 다음 중 보기의 우리말을 영어로 바르게 표현한 것을 고르세요.

선물을 주셔서 대단히 고맙습니다.

① Thank you very much for your hospitality.
② Thank you very much for your kindness.
③ Thank you very much for your time.
④ Thank you very much for your present.
⑤ Thank you very much for your help.

13 다음 보기에서 빈칸에 알맞은 말을 골라 쓰세요.

ocean **located** **mobile phone**

(1) The museum is ______________________ in Seoul.

(2) The battery of my ______________________ was dead.

(3) There is a lot of water in the ______________________.

14 다음 주어진 단어들을 이용하여 문장을 완성하세요.

Kevin의 피아노는 매우 낡았다. (Kevin / piano)

______________________________________ is very old.

15 다음 영어를 우리말로 쓰세요.

(1) Korea also hosted the World Cup games in 2002.

____

(2) The room was clean, and the beds were very comfortable.

____

WORD MASTER

TR 5-18-W

다음 단어의 뜻을 쓰고, 단어를 세 번씩 더 써보세요.

01	allow	허락하다	allow	allow	allow
02	artwork				
03	comfortable				
04	display				
05	efficient				
06	exhibition				
07	friendly				
08	heritage				
09	indoor				
10	knowledge				
11	provide				
12	scenery				
13	sculpture				
14	skeleton				
15	storehouse				

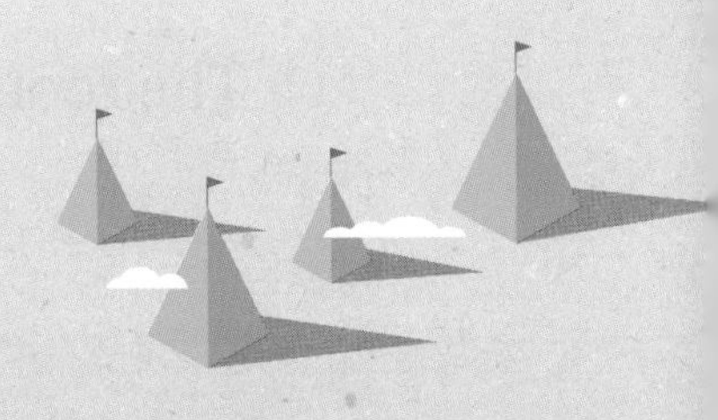

Memo

Memo

Longman

Reading Mentor

Joy 2

WORKBOOK

Pearson

WORKBOOK

1 다음 보기에서 의미와 일치하는 단어를 고르고 세 번 쓰세요.

wing mosquito river pond hunter human

01 강 ______ ______ ______

02 연못 ______ ______ ______

03 날개 ______ ______ ______

04 사냥꾼 ______ ______ ______

05 모기 ______ ______ ______

06 인간 ______ ______ ______

2 다음 중 우리말과 같도록 빈칸에 들어갈 알맞은 말을 고르세요.

01

They can fly even ______.
그들은 뒤로까지도 날 수가 있다.

① up ② front ③ backwards ④ toward ⑤ up to

02

Dragonflies do not ______ humans.
잠자리는 인간에게 해를 끼치지 않는다.

① eat ② fly ③ take ④ harm ⑤ help

3 다음 영어와 우리말을 연결하세요.

01 good luck •	• ⓐ 단 하루에
02 in a single day •	• ⓑ 행운
03 excellent eyesight •	• ⓒ 뛰어난 시력

4 다음 중 밑줄 친 about과 쓰임이 같은 것을 고르세요.

He studied English for about 2 years.

① I don't want to talk about it.
② The tree is about 10 meters tall.
③ We are going to learn about universe.
④ The book is about dinosaurs.
⑤ She heard about the rumor.

5 다음 영어를 우리말로 쓰세요.

01 Dragonflies live near rivers, streams, and ponds.

→ ____________________

02 There are about 4,000 kinds of dragonflies on the Earth.

→ ____________________

Birds, Mammals, and Insects

1

다음 보기에서 의미와 일치하는 단어를 고르고 세 번 쓰세요.

feather shell mammal drink bee land

01 벌 ______ ______ ______

02 마시다 ______ ______ ______

03 땅, 육지 ______ ______ ______

04 포유동물 ______ ______ ______

05 털, 깃털 ______ ______ ______

06 껍데기 ______ ______ ______

2

다음 중 우리말과 같도록 빈칸에 들어갈 알맞은 말을 고르세요.

01

Birds have 2 legs, and they can walk, run, or ______.
새들은 두 개의 다리가 있어서 걷거나 달리거나 깡충깡충 뛸 수 있다.

① hop ② dive ③ fly ④ talk ⑤ call

02

Bees and ants are insects, but ______ are not insects.
벌이나 개미는 곤충이지만 거미는 곤충이 아니다.

① ostriches ② dogs ③ spiders ④ mammals ⑤ birds

3 다음 영어와 우리말을 연결하세요.

01 live on land •　　　　• ⓐ 건강을 유지하다

02 stay healthy •　　　　• ⓑ 육지에 살다

03 hatch from eggs •　　　　• ⓒ 알에서 부화하다

4 다음 우리말과 같도록 빈칸에 알맞은 말을 보기에서 골라 쓰세요.

late	hard

01 Taking care of a baby is ________________ work.
아기를 돌보는 것은 힘든 일이다.

02 The flowers begin to bloom from ________________ May.
그 꽃은 5월 말부터 피기 시작한다.

03 I will study ________________ from today.
나는 오늘부터 열심히 공부할 것이다.

5 다음 영어를 우리말로 쓰세요.

01 They lay eggs, and the eggs have hard shells.

→ ____

02 Insects have 6 legs and most insects hatch from eggs.

→ ____

Facts About Our Teeth

1

다음 보기에서 의미와 일치하는 단어를 고르고 세 번 쓰세요.

digest children permanent bone forget talk

01 잊다 ________ ________ ________

02 소화하다 ________ ________ ________

03 영원한 ________ ________ ________

04 말하다 ________ ________ ________

05 뼈 ________ ________ ________

06 아이들 ________ ________ ________

2

다음 중 우리말과 같도록 빈칸에 들어갈 알맞은 말을 고르세요.

01

Our teeth are an important part of our ________ life.
우리 치아는 우리 일상생활에서 중요한 부분이다.

① peaceful ② city ③ social ④ all ⑤ daily

02

Our teeth is ________ than our bones.
우리 치아는 뼈보다 더 단단하다.

① higher ② healthier ③ faster ④ harder ⑤ taller

3 다음 영어와 우리말을 연결하세요.

01 the hardest part •

02 start to fall out •

03 permanent teeth •

• ⓐ 영구치

• ⓑ 빠지기 시작하다

• ⓒ 가장 단단한 부분

4 다음 주어진 단어를 이용하여 빈칸에 알맞은 말을 쓰세요.

01 This box is ____________________ than that box. (heavy)

02 He is the ____________________ student in our school. (tall)

03 My room is ____________________ than her room. (large)

04 The dog is ____________________ than the tiger. (small)

5 다음 영어를 우리말로 쓰세요.

01 Do you know how to keep your teeth healthy?

→ ____

02 Don't forget to brush your teeth after meals.

→ ____

Halloween

1

다음 보기에서 의미와 일치하는 단어를 고르고 세 번 쓰세요.

October witch ghost pumpkin shout adult

01 마녀 ________ ________ ________

02 귀신 ________ ________ ________

03 10월 ________ ________ ________

04 성인, 어른 ________ ________ ________

05 호박 ________ ________ ________

06 소리치다 ________ ________ ________

2

다음 중 우리말과 같도록 빈칸에 들어갈 알맞은 말을 고르세요.

01

Children can get buckets of ________ candy.
아이들은 많이 공짜 캔디를 얻을 수 있다.

① sweet ② free ③ favorite ④ salty ⑤ smart

02

We also ________ big pumpkins and put candles in them.
우리는 또 커다란 호박을 조각하고 그 안에 초를 넣는다.

① carve ② eat ③ buy ④ work ⑤ cut

3 다음 영어와 우리말을 연결하세요.

01 attend a costume party •

02 one by one •

03 both kids and adults •

• ⓐ 분장 파티에 참석하다

• ⓑ 아이들과 어른 모두

• ⓒ 차례로, 하나씩

4 다음 밑줄 친 most에 유의하면서 영어를 우리말로 쓰세요.

01 Most students go to school by bus.

→ ______________________________

02 Baseball is my most favorite sport.

→ ______________________________

03 Seoul is the most famous city in Korea.

→ ______________________________

5 다음 영어를 우리말로 쓰세요.

01 We celebrate Halloween every year on October 31.

→ ______________________________

02 Halloween is fun and exciting for both kids and adults.

→ ______________________________

1

다음 보기에서 의미와 일치하는 단어를 고르고 세 번 쓰세요.

thank endless letter draw heart envelop

01 하트, 심장 ______ ______ ______

02 그리다 ______ ______ ______

03 끝없는 ______ ______ ______

04 감사하다 ______ ______ ______

05 편지 ______ ______ ______

06 봉투 ______ ______ ______

2

다음 중 우리말과 같도록 빈칸에 들어갈 알맞은 말을 고르세요.

01

He folds the paper in ______.
그는 종이를 반으로 접는다.

① circle ② square ③ color ④ all ⑤ half

02

He ______ flowers in the front.
그는 앞에 꽃을 그린다.

① holds ② gets ③ gives ④ draws ⑤ takes

3 다음 영어와 우리말을 연결하세요.

01 all over the card •
02 inside the card •
03 endless amount of love •

• ⓐ 끝없이 많은 사랑
• ⓑ 카드 곳곳에
• ⓒ 카드 안쪽에

4 다음 문장을 부정문으로 바꿔 쓰세요.

01 They are singing a song on stage.

→ ____________________

02 My friends are playing baseball now.

→ ____________________

03 Kevin is washing the dishes.

→ ____________________

5 다음 영어를 우리말로 쓰세요.

01 There are paper, pens, and crayons on the desk.

→ ____________________

02 Inside the card, Minsu writes a short letter to his parents.

→ ____________________

1

다음 보기에서 의미와 일치하는 단어를 고르고 세 번 쓰세요.

memory fresh enter introduce nervous approach

01 생생한, 신선한 ______ ______ ______

02 들어가다 ______ ______ ______

03 접근하다 ______ ______ ______

04 긴장한 ______ ______ ______

05 기억 ______ ______ ______

06 소개하다 ______ ______ ______

2

다음 중 우리말과 같도록 빈칸에 들어갈 알맞은 말을 고르세요.

01

I cannot ______ my first day at my new school.
나는 새 학교 등교 첫날을 잊지 못한다.

① take ② feel ③ buy ④ forget ⑤ enter

02

Tony and Paul ______ my best friends.
토니와 폴이 제일 친한 친구가 되었다.

① took ② felt ③ got ④ showed ⑤ became

3 다음 영어와 우리말을 연결하세요.

01 feel a little nervous •	• ⓐ 의자에 앉다
02 during recess •	• ⓑ 쉬는 시간 동안
03 take a seat •	• ⓒ 조금 긴장하다

4 다음 우리말과 같도록 괄호 안에서 알맞은 것을 고르세요.

01 David (can / cans) (swim / swims) in the sea.
데이비드는 바다에서 수영할 수 있다.

02 He (can / cans) (fix / fixes) the bike.
그는 그 자전거를 고칠 수 있다.

03 She (cannot make / can make not) cookies.
그녀는 쿠키를 만들 수 없다.

04 I (can't / can) (speak / speaks) English.
나는 영어로 말할 수 없다.

5 다음 영어를 우리말로 쓰세요.

01 I transferred to the new school in the 2nd grade.

→ ______________________________

02 We entered the office and my dad gave a form to one of the teachers.

→ ______________________________

Making Pizza

1 다음 보기에서 의미와 일치하는 단어를 고르고 세 번 쓰세요.

mushroom　spread　cheese　cut　delicious　slice

01 버섯 ______ ______ ______

02 치즈 ______ ______ ______

03 맛있는 ______ ______ ______

04 자르다 ______ ______ ______

05 조각, 부분 ______ ______ ______

06 펼치다 ______ ______ ______

2 다음 중 우리말과 같도록 빈칸에 들어갈 알맞은 말을 고르세요.

01

First, spread tomato sauce ______ the dough.

먼저 도우에 토마토 소스를 펼쳐서 발라요.

① next to　② to　③ over　④ on　⑤ near

02

Wait ______ 8 and 10 minutes for the pizza to cook.

8에서 10분간 피자가 익을 때까지 기다리세요.

① after　② to　③ between　④ on　⑤ near

3 다음 영어와 우리말을 연결하세요.

01 look delicious •　　　　• ⓐ 토마토 소스

02 make pizza •　　　　• ⓑ 피자를 만들다

03 tomato sauce •　　　　• ⓒ 맛있어 보이다

4 다음 괄호 안에서 알맞은 것을 고르세요.

01 David (is going / is going to) (practice / practicing) the piano.

02 John and I (is going / are going to) (wash / washes) the car.

03 We (are not going to / are going not to) (play / playing) soccer.

04 I (am going to / am going) (buying / buy) some cookies.

5 다음 영어를 우리말로 쓰세요.

01 We need tomato sauce, tomatoes, mushroom, salami, and cheese.

→ ______________________________

02 Let's cut the pizza into 8 slices.

→ ______________________________

1

다음 보기에서 의미와 일치하는 단어를 고르고 세 번 쓰세요.

rice vegetable lamb protein disease problem

01 질병 ______ ______ ______

02 단백질 ______ ______ ______

03 야채 ______ ______ ______

04 쌀 ______ ______ ______

05 문제 ______ ______ ______

06 양고기 ______ ______ ______

2

다음 중 우리말과 같도록 빈칸에 들어갈 알맞은 말을 고르세요.

01

Food makes ______ strong and healthy.
음식은 우리를 강하고 건강하게 만든다.

① it ② you ③ them ④ us ⑤ me

02

Eating healthy makes us feel good and sleep ______.
건강하게 먹는 것은 우리를 기분 좋게 하고 잠을 더 잘 자게 한다.

① better ② bad ③ good ④ happy ⑤ longer

3 다음 영어와 우리말을 연결하세요.

01 get energy •　　　　• ⓐ 건강에 좋은

02 a balanced diet •　　　　• ⓑ 에너지를 얻다

03 good for our health •　　　　• ⓒ 균형 잡힌 식사

4 다음 대화의 빈칸에 알맞은 말을 쓰세요.

01 A: Can you speak Chinese?

B: No, I ________________.

02 A: Can your brother play the piano?

B: Yes, ________________ ________________.

03 A: Can I go home now?

B: Yes, ________________ can.

5 다음 영어를 우리말로 쓰세요.

01 Food helps us to grow and protects us from diseases.

→ ____

02 Food contains essential nutrients, such as fat, protein, vitamin, or minerals.

→ ____

1 다음 보기에서 의미와 일치하는 단어를 고르고 세 번 쓰세요.

popular various consist mean foreigner mouth

01 다양한 ________ ________ ________

02 인기 있는 ________ ________ ________

03 의미하다 ________ ________ ________

04 외국인 ________ ________ ________

05 입 ________ ________ ________

06 구성하다 ________ ________ ________

2 다음 중 우리말과 같도록 빈칸에 들어갈 알맞은 말을 고르세요.

01

I think ________ Koreans like bibimbap.
나는 대부분의 한국 사람들이 비빔밥을 좋아한다고 생각한다.

① much ② too ③ most ④ a few ⑤ a little

02

You can eat bibimbap ________ in Korea.
여러분은 한국 어디에서든 비빔밥을 먹을 수 있다.

① anything ② anywhere ③ everyone
④ everything ⑤ every day

3 다음 영어와 우리말을 연결하세요.

01 the most popular dishes •

02 various ingredients •

03 popular around the world •

• ⓐ 전 세계에서 인기 있는

• ⓑ 가장 인기 있는 음식들

• ⓒ 다양한 재료들

4 다음 주어진 단어를 이용하여 빈칸에 알맞은 말을 쓰세요.

01 The tower is the ________________ building in my town. (tall)

02 Autumn is the ________________ season for reading. (good)

03 He is the ________________ popular singer these days. (much)

04 It is the ________________ train in the world. (long)

5 다음 영어를 우리말로 쓰세요.

01 The term "bibim" means mixing various ingredients, and the "bap" means rice.

→ ______________________________

02 How about having "bibimbap" for lunch today?

→ ______________________________

School Choir

1

다음 보기에서 의미와 일치하는 단어를 고르고 세 번 쓰세요.

choir stage perform conductor finish joy

01 기쁨 ____________ ____________ ____________

02 끝나다 ____________ ____________ ____________

03 공연하다 ____________ ____________ ____________

04 합창단 ____________ ____________ ____________

05 지휘자 ____________ ____________ ____________

06 무대 ____________ ____________ ____________

2

다음 중 우리말과 같도록 빈칸에 들어갈 알맞은 말을 고르세요.

01

Mike is a ____________ of a school choir.
마이크는 학교 합창단 단원이다.

① student ② people ③ uniform ④ classmate ⑤ member

02

He is on stage with the ____________ choir members.
그는 다른 합창단 단원들과 함께 무대에 선다.

① every ② other ③ their ④ your ⑤ another

3 다음 영어와 우리말을 연결하세요.

01 smile with joy •　　• ⓐ 베이스 파트에서 노래하다

02 sing in the bass part •　　• ⓑ 그의 팔을 움직이다

03 move his arms •　　• ⓒ 기뻐서 미소를 짓다

4 다음 우리말에 같도록 주어진 단어들을 배열하세요.

01 그는 부모님과 함께 산다. (with / lives / his parents)

→ He ______________________________.

02 나는 그녀에게 매우 화가 났다. (very / her / angry / with)

→ I was ______________________________.

03 나는 내 친구들과 함께 야구를 것이다. (play / with / baseball / my friends)

→ I'm going to ______________________________.

5 다음 영어를 우리말로 쓰세요.

01 They're going to perform at the school gym.

→ ______________________________

02 Mike and the other choir members are happy with their performance.

→ ______________________________

My Favorite Music

1

다음 보기에서 의미와 일치하는 단어를 고르고 세 번 쓰세요.

listen creative everywhere awesome understand language

01 어디에서나 ____________ ____________ ____________

02 듣다 ____________ ____________ ____________

03 언어 ____________ ____________ ____________

04 이해하다 ____________ ____________ ____________

05 멋진, 엄청난 ____________ ____________ ____________

06 창의적인 ____________ ____________ ____________

2

다음 중 우리말과 같도록 빈칸에 들어갈 알맞은 말을 고르세요.

01

Some people might not be ____________ with K-pop music.
어떤 사람들은 케이팝 음악이 친숙하지 않을 수도 있다.

① happy ② familiar ③ special ④ careful ⑤ good

02

I feel happy ____________ I listen to K-pop music.
나는 케이팝 음악을 들을 때마다 행복하다.

① anything ② everyone ③ anywhere ④ whenever ⑤ what

3 다음 영어와 우리말을 연결하세요.

01 stand for Korean pop •　　• ⓐ 한국어를 이해하다

02 understand Korean language •　　• ⓑ 한국의 대중음악을 의미하다

03 listen to K-pop music •　　• ⓒ 케이팝 음악을 듣다

4 다음 빈칸에 so나 because를 쓰세요.

01 I had a cold, ________________ I went to see a doctor.

02 I went to see a doctor ________________ I had a cold.

03 The movie was ________________ interesting.

04 She had no honey, ________________ she used sugar instead.

5 다음 영어를 우리말로 쓰세요.

01 I especially like watching K-pop music videos on the Internet.

→ ____

02 The performances of K-pop singers are really awesome.

→ ____

1 다음 보기에서 의미와 일치하는 단어를 고르고 세 번 쓰세요.

talent write travel ill compose die

01 죽다 ________ ________ ________

02 작곡하다 ________ ________ ________

03 재능 ________ ________ ________

04 쓰다 ________ ________ ________

05 아픈 ________ ________ ________

06 여행하다 ________ ________ ________

2 다음 중 우리말과 같도록 빈칸에 들어갈 알맞은 말을 고르세요.

01

Wolfgang Amadeus Mozart was ________ in 1756 in Austria.
볼프강 아마데우스 모차르트는 1756년 오스트리아에서 태어났다.

① played ② serious ③ performed ④ became ⑤ born

02

He became seriously ill and died at the ________ of 35 in 1791.
그는 심각하게 아프기 시작했고 1791년 35살의 나이로 죽었다.

① old ② year ③ tall ④ age ⑤ week

3 다음 영어와 우리말을 연결하세요.

01 a talent for music •　　　　• ⓐ 6살에

02 perform in public •　　　　• ⓑ 음악적 재능

03 at the age of 6 •　　　　• ⓒ 대중 앞에서 공연하다

4 다음 우리말과 같도록 주어진 단어들을 배열하세요.

01 전화 좀 써도 될까요? (use / your phone / I / Could)

→ ______________________________, please?

02 다시 한 번 말해 줄래요? (you / Could / say / that)

→ ______________________________ again?

03 그는 그 질문에 대답을 하지 못했다. (couldn't / He / answer)

→ ______________________________ the question.

5 다음 영어를 우리말로 쓰세요.

01 He could play the piano and the violin at the age of 3.

→ ______________________________

02 He traveled all over Europe with his father and performed in public.

→ ______________________________

Food Culture

1

다음 보기에서 의미와 일치하는 단어를 고르고 세 번 쓰세요.

breakfast chopsticks respect culture knife western

01 젓가락 ______ ______ ______

02 존경하다 ______ ______ ______

03 칼 ______ ______ ______

04 서양의 ______ ______ ______

05 문화 ______ ______ ______

06 아침(식사) ______ ______ ______

2

다음 중 우리말과 같도록 빈칸에 들어갈 알맞은 말을 고르세요.

01

People use spoons and chopsticks when they ______.
사람들이 먹을 때 숟가락과 젓가락을 사용한다.

① make ② stay ③ eat ④ feel ⑤ do

02

We ____ respect the cultures and customs of other countries.
우리는 다른 나라들의 문화와 관습을 존중해야 한다.

① will ② can ③ are going to
④ could ⑤ have to

3 다음 영어와 우리말을 연결하세요.

01 eat rice for breakfast • • ⓐ 음식 문화

02 side dishes • • ⓑ 반찬

03 food culture • • ⓒ 아침식사로 밥을 먹다

4 다음 괄호 안에서 알맞은 것을 고르세요.

01 We (has to / have to) attend the meeting.

02 When you ride in a car, you (has to / have to) wear a seatbelt.

03 He has to (stay / staying) in the hospital for a long time.

04 You don't (has to / have to) bring your lunch.

5 다음 영어를 우리말로 쓰세요.

01 In some countries like India and Sri Lanka, people eat with their hands.

→ ____________________

02 Every country has its own food culture.

→ ____________________

1

다음 보기에서 의미와 일치하는 단어를 고르고 세 번 쓰세요.

rent dress festival traditional special want

01 옷, 드레스 ______ ______ ______

02 전통적인 ______ ______ ______

03 원하다 ______ ______ ______

04 빌리다 ______ ______ ______

05 특별한 ______ ______ ______

06 축제 ______ ______ ______

2

다음 중 우리말과 같도록 빈칸에 들어갈 알맞은 말을 고르세요.

01

I'm going to rent a Hanbok ______.
나는 거기서 한복을 빌릴 것이다.

① there ② here ③ these ④ those ⑤ them

02

Do you like ______ a Hanbok?
너는 한복 입는 거 좋아하니?

① buying ② wearing ③ loving ④ jumping ⑤ seeing

3 다음 영어와 우리말을 연결하세요.

01 a traditional dress • • ⓐ 삼촌 결혼식

02 on special occasions • • ⓑ 특별한 행사에

03 my uncle's wedding • • ⓒ 전통 옷

4 다음 문장을 의문문으로 바꿀 때 빈칸에 알맞은 말을 쓰세요.

01 He learns English.

_______________ he _______________ English?

02 They stay at the hotel.

_______________ they _______________ at the hotel?

03 Mary lives in London.

_______________ Mary _______________ in London?

5 다음 영어를 우리말로 쓰세요.

01 I'm going to wear it on my uncle's wedding this Sunday.

→ ______________________________

02 Can I go to the shopping mall with you?

→ ______________________________

Trip to Hong Kong

1

다음 보기에서 의미와 일치하는 단어를 고르고 세 번 쓰세요.

vacation excited careful interesting traffic cross

01 신나는 ________ ________ ________

02 주의 깊은 ________ ________ ________

03 건너다 ________ ________ ________

04 교통 ________ ________ ________

05 휴가 ________ ________ ________

06 재미있는 ________ ________ ________

2

다음 중 우리말과 같도록 빈칸에 들어갈 알맞은 말을 고르세요.

01

I'm going on a ________ to Hong Kong with my family.
나는 가족과 함께 홍콩으로 여행을 갈 것이다.

① traffic ② vacation ③ trip ④ tip ⑤ shop

02

In Hong Kong, people drive on the left ________ of the road.
홍콩에서는 사람들이 왼쪽 길로 운전한다.

① stay ② side ③ face ④ hand ⑤ sky

3 다음 영어와 우리말을 연결하세요.

01 sound fun •　　　　• ⓐ 재미있게 들리다

02 on the right side •　　　　• ⓑ 운전대

03 a steering wheel •　　　　• ⓒ 오른쪽에

4 다음 Do/Does를 이용한 대화의 빈칸에 알맞은 말을 쓰세요.

01 A: ____________ she learn English?

B: No, she ____________.

02 A: ____________ your sister have a smartphone?

B: Yes, she ____________.

03 A: ____________ your friends like paying baseball?

B: No, they ____________.

5 다음 영어를 우리말로 쓰세요.

01 Do you have any plans for the upcoming vacation?

→ ________________________________

02 The traffic system in Hong Kong is different from Korea.

→ ________________________________

1 다음 보기에서 의미와 일치하는 단어를 고르고 세 번 쓰세요.

museum display jewelry dinosaur experience sculpture

01 보석 ______ ______ ______

02 전시하다 ______ ______ ______

03 조각 ______ ______ ______

04 경험 ______ ______ ______

05 공룡 ______ ______ ______

06 박물관 ______ ______ ______

2 다음 중 우리말과 같도록 빈칸에 들어갈 알맞은 말을 고르세요.

01

I visited the museum with my family ______ Saturday.
나는 지난 토요일 가족과 그 박물관을 방문했다.

① last ② that ③ next ④ this ⑤ during

02

We were ______ to see different kinds of artworks.
우리는 다양한 예술품들을 보고 흥분했다.

① happy ② excited ③ wonderful ④ boring ⑤ great

3 다음 영어와 우리말을 연결하세요.

01 take pictures •　　　• ⓐ 전시실

02 a wonderful experience •　　　• ⓑ 사진을 찍다

03 exhibition rooms •　　　• ⓒ 멋진 경험

4 다음 우리말과 같도록 보기에서 빈칸에 알맞은 말을 골라 쓰세요.

break	order	second

01 Wait a ________________, please.
잠시만 기다리세요.

02 Let's take a ________________ for 10 minutes.
10분 동안 휴식하자.

03 Can I take your ________________?
주문하시겠어요?

5 다음 영어를 우리말로 쓰세요.

01 The museum is quite big and has exhibition rooms on the 2nd and 3rd floors.

→ ________________________________

02 My sister and I were surprised to see the huge skeleton of a dinosaur.

→ ________________________________

1

다음 보기에서 의미와 일치하는 단어를 고르고 세 번 쓰세요.

country history scenery developed winter efficient

01 경치 ______ ______ ______

02 효율적인 ______ ______ ______

03 나라, 국가 ______ ______ ______

04 겨울 ______ ______ ______

05 발달한 ______ ______ ______

06 역사 ______ ______ ______

2

다음 중 우리말과 같도록 빈칸에 들어갈 알맞은 말을 고르세요.

01

Koreans use ______ own alphabet called Hangul.
한국인들은 한글이라는 그들의 문자를 사용한다.

① our ② their ③ my ④ his ⑤ its

02

Korea is a very developed country and has ______ big cities.
한국은 매우 발달한 나라고 많은 대도시들이 있다.

① no ② many ③ more ④ much ⑤ most

3 다음 영어와 우리말을 연결하세요.

01 rich in culture and heritage • • ⓐ 나의 나라가 자랑스럽다

02 be proud of my country • • ⓑ 한국의 수도

03 the capital of Korea • • ⓒ 문화와 유산이 풍부한

4 다음 우리말과 같도록 빈칸에 알맞은 말을 쓰세요.

01 Did you see ________________ yellow pencil?
너는 내 노란색 연필 봤니?

02 This is not Jane's bag. It is my ________________ bag.
이것은 제인의 가방이 아니다. 이것은 나의 아버지 가방이다.

03 They don't have ________________ own computer.
그들은 그들 자신의 컴퓨터가 없다.

04 The building over there is ________________ school.
저기 있는 건물이 우리 학교다.

5 다음 영어를 우리말로 쓰세요.

01 Korea is known for its beautiful scenery and historic sites.

→ ______________________________

02 Korea also hosted the World Cup games in 2002.

→ ______________________________

1 다음 보기에서 의미와 일치하는 단어를 고르고 세 번 쓰세요.

twin　beach　clean　provide　indoor　friendly

01 해변 ________ ________ ________

02 깨끗한 ________ ________ ________

03 실내의 ________ ________ ________

04 다정한 ________ ________ ________

05 제공하다 ________ ________ ________

06 트윈, 쌍둥이 ________ ________ ________

2 다음 중 우리말과 같도록 빈칸에 들어갈 알맞은 말을 고르세요.

01

The hotel was located ________ the beach.
호텔은 해변 근처에 위치해 있었다.

① on　② near　③ inside　④ before　⑤ behind

02

The staff were all very friendly and ________.
직원들은 모두 매우 다정하고 친절했다.

① different　② proud　③ kind　④ sad　⑤ sick

3 다음 영어와 우리말을 연결하세요.

01 the ocean view •　　　　• ⓐ 즐거운 시간을 보내다

02 have a great time •　　　　• ⓑ 실내 수영장

03 an indoor swimming pool •　　　　• ⓒ 바다 전망

4 다음 우리말과 같도록 빈칸에 알맞은 말을 보기에서 골라 쓰세요.

known	unnecessary	unlucky

01 Busan is ______________ for its beautiful beach.
부산은 아름다운 해변으로 유명하다.

02 The number four is ______________ in Korea.
한국에서 숫자 4는 불길하다.

03 Try not to buy ______________ things.
필요하지 않은 물건은 사지 않도록 해라.

5 다음 영어를 우리말로 쓰세요.

01 The room was clean, and the beds were very comfortable.

→ ______________________________

02 Thank you very much for your hospitality during our stay last week.

→ ______________________________

Memo

Memo

Memo

WORKBOOK

inkbooks
www.inkbooks.co.kr
구매문의 02) 455 9620

Longman

Reading Mentor joy 2

ANSWERS

Pearson

ANSWERS

Chapter 1 과학

UNIT 1 잠자리

There are about 4,000 kinds of dragonflies on the Earth.
지구에는 대략 4천 종류의 잠자리가 있어요.

Dragonflies have 4 strong wings.
잠자리는 4개의 강력한 날개가 있어요.

They can fly like a helicopter.
그들은 헬리콥터처럼 날 수 있어요.

They can fly even backwards.
그들은 뒤로도 날 수가 있어요.

Dragonflies live near rivers, streams, and ponds. 잠자리들은 강이나 시내, 연못 근처에서 살아요.

They are very good hunters.
그들은 매우 훌륭한 사냥꾼이에요.

They catch their prey while they are flying. 그들은 날아다니면서 먹이를 잡아요.

They like to eat mosquitoes.
그들은 모기 먹는 것을 좋아해요.

They can eat hundreds of mosquitoes in a single day.
그들은 단 하루에 수백 마리의 모기를 먹을 수 있어요.

Dragonflies have excellent eyesight.
잠자리는 뛰어난 시력을 가졌어요.

Dragonflies do not harm humans.
잠자리는 인간에게 해를 끼치지 않아요.

Some say that they are a sign of good luck. 어떤 사람들은 그들이 행운의 징조라고 말해요.

READING CHECK

1 ④ 2 ④ 3 ① 4 (1) Yes (2) Yes (3) No

해석 및 해설

2 그들은 그들 바로 뒤를 빼고는 모든 방향으로 볼 수 있다.
4 (1) 지구에는 많은 다양한 종류의 잠자리가 있니?
(2) 잠자리는 모기 먹는 것을 좋아하니?
(3) 잠자리는 인간에게 해롭니?

WORD CHECK

1 ② 2 (1) wings (2) river (3) helicopter 3 ⑤ 4 ①

해석 및 해설

1 잠자리는 뛰어난 시력을 가지고 있다.
2 (1) 모든 새들은 날개가 있다.
(2) 우리는 강에서 수영할 수 있니?
(3) 하늘에 헬리콥터가 있다.
3 잠자리는 모기 먹는 것을 좋아한다.
그들은 헬리콥터처럼 날 수 있다.
4 물의 작은 지역

GRAMMAR TIME

1 ③ 2 (1) 교실에 대략 20명의 학생들이 있다.
(2) 나는 그것에 대해 말하고 싶지 않다.

해석 및 해설

1 그는 대략 2시간 동안 컴퓨터 게임을 했다.
① 나는 그것에 대해 생각하고 싶지 않다.
② 그에 대해 이야기하지 말자.
③ 그 다리는 대략 25미터 길이다.
④ 나는 전에 그 책에 대해 들었다.
⑤ 그들은 컴퓨터 게임에 대해 이야기하고 있다.

UNIT 2 새, 포유동물과 곤충

A bird is an animal with feathers and wings. 새는 털과 날개가 있는 동물이에요.

Most birds can fly, but some birds like ostriches and penguins can't fly.
대부분의 새들은 날 수 있지만 타조나 펭귄 같은 새들은 날 수 없어요.

Birds have 2 legs, and they can walk, run, or hop. 새들은 두 개의 다리가 있어서 걷거나 달리거나 깡충깡충 뛸 수 있어요.

They lay eggs, and the eggs have hard shells.
그들은 알을 낳고 그 알은 단단한 껍데기가 있어요.

A mammal is an animal with fur or hair.
포유동물은 털이나 머리카락이 있는 동물이에요.

Most mammals live on land.
대부분의 포유동물은 육지에 살아요.

Cats, lions, and dogs are mammals.
고양이, 사자, 개가 포유동물이에요.

All baby mammals drink milk from their mothers. 모든 새끼 포유동물은 모유를 마셔요.

They need their mothers' milk to grow and stay healthy.
그들은 성장하고 건강을 유지하기 위해 모유가 필요해요.
Whales and dolphins are also mammals.
고래와 돌고래 또한 포유동물이에요.
They are marine mammals.
그들은 바다에 사는 포유동물이에요.
An insect is a very small animal.
곤충은 아주 작은 동물이에요.
Some have wings and some don't.
일부는 날개가 있지만 일부는 없어요.
Insects have 6 legs and most insects hatch from eggs. 곤충은 6개의 다리가 있고 대부분의 곤충은 알에서 부화해요.
Bees and ants are insects, but spiders are not insects.
벌이나 개미는 곤충이지만 거미는 곤충이 아니에요.

READING CHECK

1 ④ 2 (1) feathers (2) marine (3) milk (4) 6 legs
3 Whales and dolphins 4 ⑤

해석 및 해설

4 ① 곤충들은 얼마나 많은 다리가 있니?
② 대부분의 포유동물은 어디서 사니?
③ 어떤 새가 날 수 없니?
④ 포유동물은 새끼들에게 무엇을 먹이니?
⑤ 곤충은 얼마나 많은 날개가 있니?

WORD CHECK

1 ④ 2 (1) eggs (2) drink (3) bees 3 ① 4 ④

해석 및 해설

2 (1) 대부분 곤충은 알에서 부화한다.
(2) 그들은 매일 차를 마신다.
(3) 꿀은 벌에게서 온다.
4 새는 털로 덮여 있다.

GRAMMAR TIME

1 ①
2 (1) 그들은 공항에 늦게 도착했다.
(2) 미첼은 항상 학교에 지각한다.

해석 및 해설

1 ① 그녀는 매우 빨리 달린다.
② 그녀는 매우 열심히 일하는 사람이다.
③ 테디는 이른 봄에 태어났다.
④ 때때로 나는 늦은 점심을 먹는다.
⑤ 그는 빨리 배우는 사람이다.

UNIT 3 우리 치아에 대한 사실들

Our teeth are an important part of our daily life.
우리 치아는 우리 일상생활에서 중요한 부분이에요.
We can't eat and digest food without them.
우리는 그것들 없이는 음식을 먹거나 소화시킬 수 없어요.
We can't talk properly without them.
우리는 그것들 없이는 적절히 말할 수 없어요.
Most children have 20 teeth by the time they are 3 years old.
대부분 아이들은 3살이 될 때까지 20개의 치아를 가져요.
When children reach the age of 5 or 6, their teeth start to fall out one by one.
아이들이 5살이나 6살이 되면 치아들은 하나씩 빠지기 시작해요.
Children have a set of 28 permanent teeth by 13 years of age.
아이들은 13살까지 28개의 영구치를 가져요.
Our teeth are harder than our bones.
우리 치아는 뼈보다 더 단단해요.
Our teeth are the hardest part of our body. 우리 치아는 우리 몸에서 가장 단단한 부분이에요.
Our teeth are covered in a hard substance called enamel.
우리 치아는 에나멜이라는 단단한 물질로 덮여 있어요.
Do you know how to keep your teeth healthy? 치아를 건강하게 관리하는 법을 아나요?
Don't eat too much candy and chocolate.
사탕이나 초콜릿을 너무 많이 먹지 마세요.
Don't forget to brush them after meals.
식사 후에 양치하는 것도 잊지 마세요.

READING CHECK

1 (1) No (2) No (3) No 2 ② 3 28 teeth
4 ⑤

해석 및 해설

1 (1) 달콤한 음식은 우리 치아에 좋니?
(2) 우리는 치아 없이 정확하게 말할 수 있니?
(3) 3살 미만 아이들은 28개의 치아가 있니?
2 우리는 치아 없이는 음식을 씹을 수 없다.
3 A: 13살이 되면 아이들은 몇 개의 치아들이 있니?

WORD CHECK

1 ① 2 (1) healthy (2) forget (3) meals 3 ⑤ 4 ④

해석 및 해설

1 패스트푸드를 너무 많이 먹지 마라.
2 (1) 그는 건강하고 강하다.
(2) 우산을 잊지 마라!
(3) 식사 전에 손을 씻어라.
4 네 입 안에 있는 단단한 하얀 것들 중 하나

GRAMMAR TIME

1 (1) taller (2) the most (3) tallest (4) faster (5) the most
2 the nicest teacher in school

해석 및 해설

1 (1) 톰은 제인보다 키가 더 크다.
(2) 그는 할리우드에서 가장 잘생긴 배우다.
(3) 제인은 반에서 가장 키가 크다.
(4) 기차가 버스보다 더 빠르다.
(5) 이것이 가장 재미있는 책이다.
2 이 선생님은 학교에서 가장 좋은 선생님이다.

REVIEW TEST

01 ④ 02 ⑤ 03 ③ 04 ② 05 ⑤ 06 ④ 07 ⑤ 08 ① 09 ③ 10 ⑤ 11 ③ 12 ④ 13 (1) Earth (2) near (3) hard 14 than 15 (1) 식사 후에 양치하는 것을 잊지 마라. (2) 새는 깃털과 날개가 있는 동물이다.

해석 및 해설

04 ① 그녀는 빨리 먹는 사람이다.
② 나는 오늘 아침 일찍 일어났다.
③ 테니스는 힘든 스포츠다.
④ 때때로 그녀는 늦은 저녁을 먹는다.
⑤ 이른 아침부터 저녁까지 나는 일해야 한다.
*형용사는 명사 앞에서 명사를 수식합니다.

[05-06]
지구에는 대략 4천 종류의 잠자리가 있다.
잠자리는 4개의 강력한 날개가 있다.
그들은 헬리콥터처럼 날 수 있다.
그들은 뒤로도 날 수가 있다.
잠자리들은 강이나 시내, 연못 근처에서 산다.
그들은 매우 훌륭한 사냥꾼이다.
그들은 날아다니면서 먹이를 잡는다.
그들은 모기 먹는 것을 좋아한다.

07 그녀는 새처럼 노래한다.
잠자리는 헬리콥터처럼 날 수 있다.
08 코코아 콩으로 만들어진 달콤하고 단단한 음식
09 벌과 개미는 곤충이지만 거미는 곤충이 아니다.
10 우리는 치아 없이는 음식을 먹거나 소화시킬 수 없다.
11 새는 알에서 부화한다.
13 (1) 우리는 지구에서 살고 있다.
(2) 그들은 언덕 위 교회 근처에서 산다.
(3) 아기를 돌보는 것은 힘든 일이다.
14 우리 치아는 우리 뼈보다 더 단단하다.

WORD MASTER

01 소화하다	02 돌고래	03 잠자리
04 시력	05 잊다	06 사냥꾼
07 중요한	08 땅	09 포유동물
10 먹이	11 껍데기	12 거미
13 시내	14 물질	15 고래

Chapter 2 특별한 날

UNIT 1 핼러윈

We celebrate Halloween every year on October 31.
우리는 매년 10월 31일에 핼러윈을 축하해요.

Most children like Halloween because they can get buckets of free candy.
대부분 아이들이 공짜 사탕을 많이 얻을 수 있어서 핼러윈을 좋아해요.

People wear spooky costumes such as ghosts, witches, or skeletons on Halloween. 사람들은 핼러윈에 귀신, 마녀나 해골 같은 무시무시한 의상을 입어요.

My brother and I wear costumes and attend a costume party.
오빠와 나는 의상을 입고 분장 파티에 참석해요.

We also carve big pumpkins and put candles in them.
우리는 또 커다란 호박을 조각하고 그 안에 초를 넣어요.

The pumpkin is a symbol of Halloween.
호박은 핼러윈의 상징이에요.

We go trick-or-treating in our neighborhood at night.
우리는 밤에 이웃에게 과자를 얻으러 가요.

We go to every house one by one and shout "Trick or treat!"
우리는 모든 집을 방문해서 "Trick or treat!"라고 외쳐요.

The house owners give us sweets or candy.
집주인들은 우리에게 단것이나 사탕들을 줘요.

Halloween is fun and exciting for both kids and adults.
핼러윈은 아이들과 어른 모두에게 재미있고 신나요.

It is my favorite holiday.
핼러윈은 내가 제일 좋아하는 휴일이에요.

READING CHECK

1 (1) No (2) Yes (3) No 2 ⑤ 3 ③ 4 ①

해석 및 해설

1 (1) 사람들은 핼러윈에 교회에 가니?
(2) 아이들은 핼러윈에 이웃집에서 사탕을 얻을 수 있니?
(3) 사람들은 핼러윈에 영화 보러 가니?

WORD CHECK

1 ④ 2 (1) symbol (2) sweets (3) candles 3 ⑤
4 ②

해석 및 해설

1 A: 얼마나 많은 표가 필요하나요?
B: 세 장이 필요해요. 어른 두 장이랑 아이 하나요.
2 (1) 에펠탑은 파리의 상징이다.
(2) 초콜릿이나 쿠키 같은 단것을 먹지 마라.
(3) 나는 생일 케이크에 초 10개를 꽂았다.
4 일 년의 10번째 달

GRAMMAR TIME

1 ② 2 (1) 한국은 가장 아름다운 나라다.
(2) 대부분 아이들이 오후에 수영하러 간다.

해석 및 해설

1 그는 반에서 가장 잘생긴 소년이다.
① 대부분의 학생들이 버스를 타고 학교에 간다
② 피자는 내가 가장 좋아하는 음식이다.
③ 대부분의 사람들이 동물을 좋아한다.
④ 나는 대부분의 야채들을 좋아한다.
⑤ 대부분의 건물들이 엘리베이터가 있다.

UNIT 2 어버이 날

Tomorrow is Parents' Day.
내일은 어버이날이에요.

Minsu is making a card for Parents' Day.
민수는 어버이날을 위해 카드를 만들고 있어요.

He would like to thank his parents for their endless amount of love and all their support. 그는 부모님들의 끝없는 무한한 사랑과 모든 지지에 대해 부모님께 감사드리고 싶어요.

There are paper, pens, and crayons on the desk. 책상 위에는 종이, 펜, 크레용이 있어요.

He folds the paper in half.
그는 종이를 반으로 접어요.

He draws flowers in the front and writes "Happy Parents' Day!" 그는 앞에 꽃을 그리고 "Happy Parents' Day!"라고 적어요.

Inside the card, Minsu writes a short letter to his parents.
카드 안쪽에 민수는 부모님께 짧은 편지를 써요.

He draws hearts all over the card.
민수는 카드 곳곳에 하트 그림을 그려요.

Then, he puts the card into the envelope.
그러고 나서, 그는 카드를 봉투에 넣어요.

Minsu hopes his parents will love the card.
민수는 부모님이 그 카드를 좋아하시길 바라요.

He can't wait to give it to them on Parents' Day.
그는 어버이날에 카드를 부모님께 빨리 드리고 싶어요.

READING CHECK

1 (1) Yes (2) No (3) No　2 ②　3 ④　4 ⑤

해석 및 해설

1 (1) 민수는 카드 안쪽에 무엇을 적었니?
(2) 민수 부모님은 민수가 카드 만드는 것을 도와주었니?
(3) 민수는 부모님께 카드를 드렸니?

2 ① 부모님께 사과를 하기 위해서
② 부모님께 감사하기 위해서
③ 부모님을 콘서트에 초대하기 위해서
④ 친구들에게 그의 감정을 표현하기 위해서
⑤ 부모님께 선물을 보내기 위해서

WORD CHECK

1 ④　2 ③　3 ③　4 ①

해석 및 해설

1 A: 도와주셔서 고마워요.
B: 천만에요.

2 나는 크레용으로 꽃을 그린다.

4 당신의 어머니와 아버지

GRAMMAR TIME

1 (1) is / singing (2) isn't / eating (3) aren't / studying

2 (1) I am not watching TV.
(2) His brothers aren't[are not] swimming in the sea.

해석 및 해설

1 (1) 내 친구는 노래를 부르고 있다.
(2) 그는 점심을 먹고 있지 않다.
(3) 그 소년들은 과학을 공부하고 있지 않다.

2 (1) 나는 TV를 보고 있다.
(2) 그의 남동생들은 바다에서 수영하고 있다.

UNIT 3 첫날

I cannot forget my first day at my new school. 나는 새 학교 등교 첫날을 잊지 못해요.

Its memory is still fresh in my mind.
그 기억은 여전히 생생해요.

I transferred to the new school in the 2nd grade. 나는 2학년 때 새 학교로 전학 왔어요.

It was September 15.
9월 15일이었어요.

I got up early in the morning on this day.
나는 이 날 아침 일찍 일어났어요.

My dad took me to the new school.
아빠가 나를 새 학교에 데려다 주셨어요.

We entered the office and my dad gave a form to one of the teachers.
우리는 교무실에 들어갔고 아빠는 선생님 중 한 분에게 서류를 제출했어요.

Mr. Donovan took me to a classroom, and he introduced me to my classmates.
도노반 선생님은 나를 교실로 데리고 갔고 반 친구들에게 나를 소개시켰어요.

I took a seat in the 3rd row.
나는 세 번째 줄에 앉았어요.

I felt a little nervous in the new environment. 새로운 환경에 난 약간 긴장했어요.

During recess, two boys approached me and said that they would show me around the school. 쉬는 시간에 두 명의 소년이 내게 다가와서 학교 주변을 보여주겠다고 말했어요.

The two boys, Tony and Paul, became my best friends.
그 두 소년 토니와 폴이 제일 친한 친구가 되었어요.

READING CHECK

1 ④　2 ②　3 ②　4 my dad

해석 및 해설

2 나는 모든 것이 나에게 새로워서 학교의 첫날 조금 긴장했다.

4 나는 새 학교에 아빠랑 갔다.

WORD CHECK

1 ④ 2 (1) fresh (2) office (3) introduce 3 ⑤ 4 ②

해석 및 해설

2 (1) 그 물고기는 매우 신선하다.
(2) 내 사무실은 꼭대기 층에 있다.
(3) 당신 소개를 해주실래요?

4 일 년의 9번째 달

GRAMMAR TIME

1 (1) can / play (2) can / drive (3) can / make
(4) can / swim (5) cannot use

2 (1) can speak (2) can't[cannot] solve

해석 및 해설

1 (1) 데이비드는 기타를 칠 수 있다.
(2) 그는 자동차를 운전할 수 있다.
(3) 그녀는 쿠키를 만들 수 있다.
(4) 우리는 바다에서 수영할 수 있다.
(5) 나는 그 컴퓨터를 사용할 수 없다.

REVIEW TEST

01 ③ 02 ③ 03 ④ 04 ① 05 ③ 06 ② 07 ②
08 ⑤ 09 ② 10 ① 11 ④ 12 ⑤ 13 (1) during
(2) paper (3) crayons 14 cannot[can't]
15 (1) 나는 새 환경에 약간 긴장했다.
(2) 그는 카드 곳곳에 하트를 그렸다.

해석 및 해설

03 ______ 지금 물을 마시고 있지 않다.
*동사가 isn't이므로 단수 주어가 와야 합니다.

04 우리는 신선한 야채가 필요하다.
그 기억이 아직도 마음속에 생생하다.

[05-07]
우리는 매년 10월 31일에 핼러윈을 축하한다.
우리는 핼러윈에 커다란 호박을 조각하고 그 안에 초를 넣는다.
호박은 핼러윈의 상징이다.
우리는 유령이나 마녀 같은 무시무시한 의상을 입는다.
우리는 밤에 이웃에게 과자를 얻으러 간다.
우리는 모든 집을 방문해서 "Trick or Treat?"라고 외친다.
집주인들은 우리에게 단것이나 사탕들을 준다.
핼러윈은 아이들과 어른 모두에게 재미있고 신난다.
핼러윈은 내가 제일 좋아하는 휴일이다.

07 핼러윈은 아이들과 어른들 모두에게 즐겁고 신난다.
아이들과 어른들 모두 핼러윈을 즐긴다.

08 초콜릿 같은 달콤한 음식

09 두꺼운 껍질이 있는 크고 둥근 오렌지색 야채

10 그는 카드를 봉투 안에 넣는다.

12 *show의 과거형은 showed입니다.

13 (1) 수업 중에는 말하지 마세요.
(2) 그 소년은 종이에 삼각형을 그리고 있다.
(3) 그 학생들은 크레용으로 그리고 있다.

WORD MASTER

01 다가가다 02 참석하다 03 조각하다
04 축하하다 05 의상, 분장 06 끝없는
07 봉투 08 환경 09 소개하다
10 기억 11 긴장하는 12 휴식
13 무시무시한, 무서운 14 지지, 지원
15 전학하다

Chapter 3 음식

UNIT 1 피자 만들기

Hi, everybody.
안녕하세요, 여러분.

We're going to make pizza today.
우리는 오늘 피자를 만들 거예요.

We need tomato sauce, tomatoes, mushroom, salami, and cheese.
우리는 토마토 소스, 토마토, 버섯, 살라미(소시지) 그리고 치즈가 필요해요.

We also need dough.
우리는 도우도 필요해요.

First, spread tomato sauce on the dough. 먼저 도우에 토마토 소스를 펼쳐서 발라요.

Second, put the tomatoes, mushroom, salami, and cheese on the dough.
두 번째로 토마토, 버섯, 살라미(소시지)와 치즈를 도우에 얹어요.

Third, put the dough on the pan.
세 번째, 도우를 팬에 놓아요.

Fourth, put the pan in the oven.
네 번째, 팬을 오븐에 넣어요.

Fifth, wait between 8 and 10 minutes for the pizza to cook.
다섯 번째, 8에서 10분간 피자가 익을 때까지 기다리세요.

Then, take the pan out of the oven.
그리고 나서, 오븐에서 팬을 꺼내요.

Look! The pizza is ready.
봐요! 피자가 완성됐어요.

Let's cut the pizza into 8 slices.
피자를 8조각으로 잘라요.

It looks delicious.
맛있어 보여요.

READING CHECK

1 ④ 02 ⑤ 03 ④ 04 between 8 and 10 minutes

해석 및 해설

1 ① 내가 좋아하는 음식
② 이탈리아 음식 만드는 법
③ 피자 반죽 만드는 법
④ 피자 만드는 법
⑤ 피자 먹는 법

4 A: 피자는 오븐에 얼마 동안 있어야 하니?

WORD CHECK

1 ③ 2 (1) ready (2) need (3) put 3 ④ 4 ②

해석 및 해설

1 도우에 토마토 소스를 펴 바르자.

2 (1) 지금 주문할 준비됐나요?
(2) 우리는 치즈가 조금 필요하다.
(3) 식탁 위에 포크를 놓아주세요.

4 작고, 부드럽고 빨간 야채

GRAMMAR TIME

1 (1) is going to / play
(2) are going to / make
(3) are not going to / swim
(4) am going to / buy

2 (1) are going to learn
(2) isn't[is not] going to meet

해석 및 해설

1 (1) 데이비드는 기타를 연주할 것이다.
(2) 그와 나는 피자를 만들 것이다.
(3) 우리는 바다에서 수영하지 않을 것이다.
(4) 나는 컴퓨터를 살 것이다.

UNIT 2 음식에서 얻는 에너지

We get energy from food.
우리는 음식에서 에너지를 얻어요.

We get our food from plants such as rice, wheat, fruit, vegetables, etc.
우리는 쌀, 밀, 과일, 야채 등의 식물에서 음식을 얻어요.

We also get food from animals like beef, lamb, pork, chicken, etc.
우리는 또한 소고기, 양고기, 돼지고기, 닭고기 등처럼 동물에서 음식을 얻어요.

Food contains essential nutrients, such as fat, protein, vitamin, or minerals.
음식에는 지방, 단백질, 비타민이나 미네랄과 같은 필수 영양소가 들어 있어요.

Food makes us strong and healthy.
음식은 우리를 강하고 건강하게 만들어요.

Food helps us to grow and protects us from diseases. 음식은 우리가 자라게 돕고 질병으로부터 우리를 보호해요.

But overeating is not good for our health. 그러나 과식은 우리 건강에 좋지 않아요.

It can lead to obesity and other health problems.
과식은 비만이나 다른 건강 문제들을 야기할 수 있어요.

Eating a balanced diet is necessary for maintaining good health. 균형 잡힌 식단을 먹는 것은 좋은 건강을 유지하는 데 필요해요.

Eating healthy makes us feel good and sleep better. 건강하게 먹는 것은 우리를 기분 좋게 하고 잠을 더 잘 자게 해요.

READING CHECK

1 ⑤ 2 ③ 3 ⑤ 4 get energy from food

해석 및 해설

2 우리는 ________에서 음식을 얻는다.

4 A: 음식에서 우리는 무엇을 얻니?

WORD CHECK

1 ② 2 ① 3 (1) sleep (2) grow (3) food 4 ③

해석 및 해설

2 나는 그 수학 문제들을 풀 수 없다.

3 (1) 나는 소음 때문에 잠을 잘 수 없다.
(2) 그 나무들은 매우 크게 자란다.
(3) 나는 저녁에 이탈리아 음식을 먹을 것이다.

4 양배추, 당근, 그리고 양파 같은 식물

GRAMMAR TIME

1 (1) ride / he can (2) Can, wash / I can
(3) Can, paly / she can't

UNIT 3 비빔밥

Have you ever tried bibimbap before?
비빔밥을 전에 먹어본 적 있나요?

Bibimbap is one of the most popular dishes in Korea.
비빔밥은 한국에서 가장 인기 있는 음식 중 하나예요.

I think most Koreans like bibimbap.
대부분의 한국 사람들이 비빔밥을 좋아한다고 생각해요.

The term "bibim" means mixing various ingredients, and the "bap" means rice.
용어 "bibim"은 다양한 재료를 섞는 것을 의미하고 "bap"은 밥을 의미해요.

It consists of white rice topped with vegetables, beef, fried eggs, and gochujang. 비빔밥은 쌀밥 위에 야채, 소고기, 달걀 프라이 그리고 고추장이 올려져 있어요.

You can eat bibimbap anywhere in Korea.
여러분은 한국 어디에서든 비빔밥을 먹을 수 있어요.

Bibmbap is also popular around the world. 비빔밥은 또한 세계 곳곳에서 인기가 있어요.

Many foreigners want to try "bibimbap."
많은 외국인들이 "비빔밥"을 먹어 보고 싶어해요.

People say bibimbap is good for our health. 사람들은 비빔밥이 우리 건강에 좋다고 해요.

I often eat bibimbap.
나는 자주 비빔밥을 먹어요.

How about having "bibimbap" for lunch today? 오늘 점심식사로 비빔밥을 먹는 거 어때요?

Just thinking about it makes my mouth water.
그것에 대해 생각하는 것만으로 입에 군침이 고여요.

READING CHECK

1 (1) T (2) F (3) T 2 ⑤ 3 bibimbap 4 ②

해석 및 해설

1 (1) 비빔밥은 매우 인기 있는 한국 음식이다.
(2) 오직 한국에서만 비빔밥을 먹을 수 있다.
(3) 비빔밥을 만들기 위해서 야채, 소고기, 계란이 필요하다.

WORD CHECK

1 ③ 2 ④ 3 (1) popular (2) foreigners (3) dinner
4 ①

해석 및 해설

3 (1) 태권도는 세계 곳곳에서 매우 인기 있는 무술이다.
(2) 지금 박물관에는 많은 외국인들이 있다.
(3) 오늘의 저녁은 스파게티다.

4 소의 고기

GRAMMAR TIME

1 ③ 2 (1) smartest (2) strongest (3) best

REVIEW TEST

01 ⑤ 02 ② 03 ③ 04 ② 05 ⑤ 06 ③ 07 ②
08 ⑤ 09 ④ 10 ① 11 ① 12 ⑤
13 they can't 14 longest 15 (1) 건강하게 먹는 것은 우리를 기분 좋게 하고 더 잘 자게 한다. (2) 피자가 익을 때까지 8분에서 10분 동안 기다려라.

해석 및 해설

03 A: 네 엄마는 기타를 칠 수 있니?
04 ① 나는 책을 읽을 것이다.
② 그녀는 지금 시장에 가고 있다.
③ 짐은 집에 있을 것이다.
④ 그들은 테니스를 할 것이다.
⑤ 우리는 점심으로 피자를 먹을 것이다.
*[be going to+동사원형] ~할 것이다
[05-07]
비빔밥은 인기 있는 한국 음식이다.
용어 "bibim"은 다양한 재료를 섞는 것을 의미하고 "bap"은 밥을 의미한다.
비빔밥은 쌀밥 위에 야채, 소고기, 달걀 프라이, 그리고 고추장이 올려져 있다.
여러분은 한국 어디에서든 비빔밥을 먹을 수 있다.
비빔밥은 또한 세계 곳곳에서 인기가 있다.
많은 외국인들이 "비빔밥"을 먹고 싶어 한다.
나는 자주 저녁으로 비빔밥을 먹는다.
그것에 대해 생각하는 것만으로 입에 군침이 고인다.
08 음식을 굽기 위해 사용되는 기구
09 먼저, 다양한 재료들을 섞어라.
10 많은 외국인들이 매년 서울을 방문한다.
11 우리는 쌀, 밀, 과일과 야채 같은 음식에서 에너지를 얻는다.
13 A: 네 친구들은 영어로 말할 수 있니?

WORD MASTER

01 구성하다 02 포함하다 03 맛있는
04 식단 05 질병 06 필수적인
07 외국인 08 건강한 09 재료
10 버섯 11 인기 있는 12 보호하다
13 펼치다 14 용어 15 밀

Chapter 4 음악과 음악가

UNIT 1 학교 합창단

Mike is a member of a school choir.
마이크는 학교 합창단 단원이에요.
He is on stage with the other choir members.
그는 다른 합창단 단원들과 함께 무대에 서요.
They're going to perform at the school gym. 그들은 학교 체육관에서 공연을 할 거예요.
Each member is wearing a uniform.
각각의 단원들은 유니폼을 입고 있어요.
Mike sings in the bass part of the choir.
마이크는 합창단 베이스 파트에서 노래해요.
The conductor moves his arms and the choir begins to sing.
지휘자는 그의 팔을 움직이고 합창단은 노래를 시작해요.
Their harmony is very beautiful.
그들의 하모니는 매우 아름다워요.
All the choir members sing their parts very well.
모든 합창단 단원들이 그들의 파트를 매우 잘 노래해요.
The concert finishes.
콘서트가 끝나요.
The conductor smiles with joy.
지휘자는 기뻐서 미소 지어요.
Mike and the other choir members are happy with their performance. 마이크와 다른 합창단 단원들은 그들의 공연에 만족해 해요.

READING CHECK

1 ② 2 ⑤ 3 ① 4 (1) Yes (2) No (3) Yes

해석 및 해설

2 청중은 일어나서 박수를 치기 시작한다.
4 (1) 마이크는 합창단 유니폼을 입고 있니?
(2) 지휘자가 기뻐서 울었니?
(3) 합창단 단원은 그들의 공연에 만족하니?

WORD CHECK

1 ⑤ 2 ② 3 (1) stage (2) finish (3) member 4 ①

해석 및 해설

1 그는 다른 합창단 단원과 무대에 있다.
그들은 그들의 공연에 만족해 한다.

3 (1) 그 여자는 무대에서 공연하고 있다.
(2) 너는 네 숙제를 마쳤니?
(3) 캐시는 우리 팀의 회원이다.

4 함께 노래하는 사람들의 모임

GRAMMAR TIME

1 ④ 2 (1) 그들은 내 공연에 만족해 한다.
(2) 나는 그와 사랑에 빠졌다.
(3) 나는 어제 눈이 파란 소년을 만났다.

해석 및 해설

1 나는 내 가족과 함께 산다.
① 그녀는 칼을 가지고 그 사과를 잘랐다.
② 너는 빨간 머리 소녀를 아니?
③ 나는 내 직업에 만족한다.
④ 나는 내 친구들과 함께 영화를 볼 것이다.
⑤ 짐은 그녀에게 화가 났다.

UNIT 2 내가 좋아하는 음악

I like to listen to K-pop music because K-pop music is so energetic and creative.
케이팝 음악은 매우 활기차고 창조적이어서 나는 케이팝 음악 듣는 것을 좋아해요.

Some people might not be familiar with K-pop music, but K-pop is popular everywhere in the world.
어떤 사람들은 케이팝 음악이 친숙하지 않을지도 모르지만, 케이팝은 세계 어디에서나 인기 있어요.

We can often hear it at the shopping malls and on the radio. 우리는 쇼핑센터나 라디오에서 케이팝을 자주 들을 수 있어요.

K-pop stands for Korean pop or Korean popular music. 케이팝은 한국의 팝이나 한국의 대중음악을 의미해요.

I listen to K-pop music when I'm free.
나는 한가할 때 케이팝 음악을 들어요.

I especially like watching K-pop music videos on the Internet. 나는 특히 인터넷으로 케이팝 음악 영상을 보는 것을 좋아해요.

The performances of K-pop singers are really awesome.
케이팝 가수들의 공연은 정말로 멋져요.

I don't understand Korean language, but the style and rhythm of the music are so wonderful. 나는 한국어를 이해하지 못하지만 그 음악의 스타일과 리듬은 매우 멋져요.

I feel happy whenever I listen to K-pop music. 나는 케이팝 음악을 들을 때마다 행복해요.

READING CHECK

1 ⑤ 2 ② 3 ③
4 stands for Korean pop or Korean popular music

해석 및 해설

4 A: 케이팝은 무엇을 의미하니?

WORD CHECK

1 ④ 2 (1) creative (2) understand (3) listen
3 ③ 4 ④

해석 및 해설

2 (1) 그 건물은 창조적이고 예술적이다.
(2) 나는 이 질문을 이해하지 못한다.
(3) 내 말을 잘 들어주세요.

3 내 동생은 항상 활기차다.

4 관객 앞에서 노래하기, 춤추기나 연기하기 같은 활동

GRAMMAR TIME

1 ④ 2 (1) 그는 친구가 없어서 외로움을 느낀다.
(2) 그 소년은 아파서 오늘 학교에 갈 수 없다.
(3) 이 커피는 향이 정말 좋다.

해석 및 해설

1 그 영화는 정말 ________.
*so가 수식하는 형용사가 와야 합니다.

UNIT 3 모차르트

Wolfgang Amadeus Mozart was born in 1756 in Austria. 볼프강 아마데우스 모차르트는 1756년 오스트리아에서 태어났어요.

His father was a composer and music teacher. 그의 아버지는 작곡가이자 음악 교사였어요.

Mozart had a talent for music.
모차르트는 음악에 재능이 있었어요.

He could play the piano and the violin at the age of 3.
그는 3살에 피아노와 바이올린을 연주할 수 있었어요.

He began composing music at the age of 6. 그는 6살에 음악을 작곡하기 시작했어요.

At the age of 7, he started playing in public. 7살에는 대중 앞에서 연주하기 시작했어요.

He wrote his first symphonies when he was only 8 years old.
그는 고작 8살에 첫 교향곡을 작곡했어요.

He traveled all over Europe with his father and performed in public.
그는 유럽 전 지역을 그의 아버지와 여행했고 대중 앞에서 공연했어요.

He became seriously ill and died at the age of 35 in 1791. 그는 심각하게 아프기 시작했고 1791년 35살의 나이로 죽었어요.

Mozart wrote about 600 compositions in his short life, but his music is still very famous and popular.
모차르트는 짧은 생애 동안 대략 600곡을 작곡했지만, 그의 음악은 여전히 매우 유명하고 인기 있어요.

Wolfgang Amadeus Mozart is one of the greatest musicians in the world.
볼프강 아마데우스 모차르트는 세계에서 가장 위대한 음악가 중의 하나예요.

READING CHECK

1 ③ 2 ② 3 ⑤ 4 (1) Yes (2) Yes (3) No

해석 및 해설

2 ① 내가 좋아하는 음악가
② 모차르트의 삶과 음악
③ 모차르트의 음악 스타일
④ 모차르트와 그의 아버지
⑤ 작곡가와 음악 선생님

4 (1) 모차르트는 8살에 그의 첫 교향곡을 썼니?
(2) 모차르트는 500곡 이상 작곡했니?
(3) 모차르트는 유럽을 혼자 여행했니?

WORD CHECK

1 ① 2 (1) travel (2) famous (3) music 3 ① 4 ②

해석 및 해설

2 (1) 나는 기차로 여행하는 것을 아주 좋아한다.
(2) 한국은 맛있는 음식으로 유명하다.
(3) 그들은 고전음악 듣는 것을 좋아하다.

3 그는 대중 앞에서 말하기를 좋아한다.

4 검고 하얀 건반이 나열된 커다란 악기

GRAMMAR TIME

1 (1) 내가 무얼 좀 물어봐도 될까요?
(2) 그는 5살에 영어를 말할 수 있었다.
(3) 내게 소금을 좀 건네 주실 수 있나요?
(4) 그녀는 어제 일찍 일어날 수 없었다.
(5) 좀 더 천천히 말씀해 주시겠어요?

REVIEW TEST

01 ② 02 ③ 03 ⑤ 04 ① 05 ⑤ 06 ④ 07 ②
08 ③ 09 ③ 10 ② 11 ⑤ 12 ①
13 (1) talent (2) Korea (3) smile 14 Could
15 (1) 케이팝은 한국 팝이나 한국의 대중음악을 의미한다.
(2) 마이크는 합창단의 베이스 파트에서 노래한다.

해석 및 해설

01 *부사 so의 수식을 받는 형용사가 필요합니다.

04 ② 모차르트는 대략 600곡을 작곡했다.
③ 모차르트는 음악에 재능이 있었다.
④ 그들은 어제 테니스를 쳤다.
⑤ 우리는 지난밤에 야구를 봤다.

[05-06]
볼프강 아마데우스 모차르트는 1756년 오스트리아에서 태어났다.
그는 3살에 피아노와 바이올린을 연주할 수 있었다.
그는 6살에 음악을 작곡하기 시작했다.
7살에는 대중 앞에서 연주하기 시작했다.
그는 고작 8살에 첫 교향곡을 작곡했다.
그는 유럽 전 지역을 그의 아빠와 여행했고 대중 앞에서 공연했다.
그는 1791년 35살의 나이로 죽었다.
모차르트는 짧은 생애 동안 대략 600곡을 작곡했다.

07 그 음악의 스타일과 리듬은 매우 멋지다.

08 4개의 줄이 있는 악기

09 합창단은 노래하기 시작했다.

13 (1) 그는 그림에 재능이 있다.
(2) 그 노래는 한국에서 매우 인기 있다.
(3) 그의 미소는 따뜻하고 친절했다.

WORD MASTER

01 멋진
02 합창단
03 작곡가
04 지휘자
05 창조적인
06 활기찬
07 친숙한
08 아픈
09 언어
10 단원
11 음악가
12 공연
13 리듬
14 심각하게
15 이해하다

Chapter 5 문화와 관습

UNIT 1 음식 문화

In Korea, people eat rice for breakfast.
한국에서는 사람들이 아침으로 밥을 먹어요.

In America, people eat pancakes, bacon, and eggs for breakfast.
미국에서는 사람들이 아침으로 팬케이크, 베이컨 그리고 달걀을 먹어요.

In Japan, sashimi is very popular, but in some countries people don't eat raw fish.
일본에서는 회가 매우 인기 있지만 어떤 나라에서는 사람들이 생선회를 먹지 않아요.

In Korea, people eat rice with side dishes, but in western countries they don't have side dishes.
한국에서는 사람들이 반찬들과 함께 밥을 먹지만 서양에서는 반찬을 먹지 않아요.

In some countries like Korea and China, people use spoons and chopsticks when they eat.
한국이나 중국 같은 몇몇 나라에서는 사람들이 먹을 때 숟가락과 젓가락을 사용해요.

In some countries like India and Sri Lanka, people eat with their hands.
인도나 스리랑카 같은 몇몇 나라에서는 사람들이 손으로 먹어요.

In some countries, people use forks and knives when they eat. 어떤 나라에서는 사람들이 먹을 때 포크와 칼을 사용해요.

Every country has its own food culture.
모든 나라들은 그들의 고유한 음식 문화가 있어요.

We have to respect the cultures and customs of other countries.
우리는 다른 나라들의 문화와 관습을 존중해야 해요.

READING CHECK

1 ⑤ 2 ② 3 ②
4 eat pancakes, bacon, and eggs for breakfast

해석 및 해설

1 ① 아침식사 음식
② 밥과 반찬

③ 아시아 음식과 서양 음식
④ 아시아 사람들과 서양 사람들
⑤ 다른 음식과 다른 문화

4 A: 미국인들은 아침으로 무엇을 먹니?

WORD CHECK

1 ② 2 (1) eggs (2) knife (3) spoons 3 ⑤ 4 ④

해석 및 해설

1 나는 팬케이크를 먹어.
① 네가 좋아하는 음식은 뭐니?
② 너는 아침식사로 무엇을 먹니?
③ 너는 팬케이크가 얼마나 많이 필요하니?
④ 너는 팬케이크를 좋아하니?
⑤ 너는 몇 시에 아침을 먹니?

2 (1) 너는 아침으로 베이컨과 달걀을 원하니?
(2) 나의 엄마는 칼로 빵을 자른다.
(3) 우리는 먹기 위해 숟가락과 젓가락을 사용한다.

3 하루의 첫 식사

4 먹는 데 사용되는 얇은 막대기 한 쌍

GRAMMAR TIME

1 (1) has to (2) practice (3) have to

2 (1) 그녀는 오늘 학교에 갈 필요가 없다.
(2) 너는 네 부모님을 존경해야 한다.
(3) 앨리스는 오늘밤에 집에 머물러야 한다.

해석 및 해설

1 (1) 샘은 점심을 가져와야 한다.
(2) 그들은 춤 연습을 해야 한다.
(3) 너는 항상 헬멧을 써야 한다.

UNIT 2 전통 의상

Sam Hi, Mina. Where are you going?
안녕, 미나. 어디에 가니?

Mina Hi, Sam. I'm going to the shopping mall.
안녕, 샘. 나는 쇼핑몰에 가고 있어.

Sam What for? 뭐 때문에?

Mina I'm going to rent a Hanbok there.
나는 거기서 한복을 빌릴 거야.

Sam What is a Hanbok? 한복이 뭐야?

Mina It's a Korean traditional dress.
그건 한국 전통 옷이야.
I'm going to wear it on my uncle's wedding this Sunday.
나는 이번 일요일 삼촌 결혼식에 그걸 입을 거야.

Sam Oh, I see. 오, 알겠어.
Do you like wearing a Hanbok?
넌 한복 입는 거 좋아하니?

Mina Yes, I do. I wear a Hanbok on special occasions like festivals, weddings, and ceremonies.
응, 그래. 나는 축제, 결혼식이나 시상식 같은 특별한 행사에 한복을 입어.

Sam Can I go to the shopping mall with you? 너랑 함께 쇼핑몰에 가도 되니?
I want to see you wearing a Hanbok. 네가 한복 입은 것을 보고 싶어.

Mina Sure. No problem. 물론이지. 괜찮아.

READING CHECK

1 ⑤ 2 ② 3 (1) Yes (2) No (3) No

4 is going to attend her uncle's wedding

해석 및 해설

3 (1) 샘은 미나와 함께 쇼핑몰에 가고 싶니?
(2) 미나는 샘을 결혼식에 초대했니?
(3) 샘은 한복을 사고 싶어 하니?

4 A: 미나는 이번 일요일에 무엇을 할 거니?

WORD CHECK

1 ⑤ 2 (1) rent (2) festival (3) dress 3 ② 4 ②

해석 및 해설

1 나는 식료품점에 가고 있어.
① 너는 식료품점에 가니?
② 나에게 식료품점 가는 법을 알려줄 수 있니?
③ 식료품점은 어디니?
④ 너는 상점에서 뭐하고 있니?
⑤ 너 어디에 가고 있니?

2 (1) 나는 3일 동안 자동차를 빌리고 싶다.
(2) 오늘 마을에 꽃박람회가 있다.
(3) 그 드레스는 너에게 너무 작다.

3 토요일 다음 월요일 전날

4 결혼 예식

GRAMMAR TIME

1 (1) Do / study (2) Does / study (3) Do / study
(4) Do / study

해석 및 해설

1 (1) 너는 역사를 공부한다.
(2) 그녀는 역사를 공부한다.
(3) 그들은 역사를 공부한다.
(4) 메리와 케빈은 역사를 공부한다.

UNIT 3 홍콩으로의 여행

Cindy Do you have any plans for the upcoming vacation?
다가오는 방학에 어떤 계획이 있니?

Mike Yes, I do. I'm going on a trip to Hong Kong with my family.
응, 있어. 나는 가족과 함께 홍콩으로 여행을 갈 거야.

Cindy Wow! That sounds fun.
와우! 재미있겠다.

Mike Yeah. I'm so excited.
어. 무척 흥분돼.

Cindy Do you know that the traffic system in Hong Kong is different from Korea? 넌 홍콩의 교통 시스템이 한국과 다른 거 알고 있니?

Mike No, I don't. 아니, 몰라.

Cindy We drive on the right side of the road, but in Hong Kong, people drive on the left side of the road.
우리는 도로에서 오른쪽으로 운전하지만 홍콩에서는 사람들이 왼쪽 길로 운전해.

Mike Really? 정말?

Cindy Yes. The steering wheel is on the right side of the car.
응. 운전대가 자동차의 오른쪽 편에 있어.

Mike Oh, that's interesting.
오, 그거 재미있다.

Cindy Be careful when you cross the street. 길을 건널 때 조심해.

Mike Okay. Thanks for the tip.
알았어. 정보 고마워.

READING CHECK

1 ② 2 ⑤ 3 ① 4 ①

해석 및 해설

1 ① 방학 계획
② 홍콩의 교통 시스템
③ 홍콩의 호텔
④ 다른 학교 시스템
⑤ 소풍(현장학습)

3 ① 빨리 여행을 가고 싶다.
② 그것 하는 것을 원하지 않는다.
③ 지금 무척 배가 부르다.
④ 홍콩은 아름다운 도시다.
⑤ 나는 가족과 함께 여행을 가고 싶다.

WORD CHECK

1 ③ 2 (1) vacation (2) drive (3) street 3 ③ 4 ③

해석 및 해설

1 그는 새 컴퓨터를 샀기 때문에 매우 신났다.
2 (1) 네 방학은 언제 시작하니?
(2) 나를 집까지 태워줄 수 있나요?
(3) 많은 사람들이 거리에 있다.
4 모터가 있는 탈것

GRAMMAR TIME

1 (1) Do / they don't (2) Does / he does
(3) Do / they don't 2 ③

해석 및 해설

1 (1) A: 그들은 영어를 배우니?
B: 아니, 그렇지 않아.
(2) A: 네 형은 컴퓨터가 있니?
B: 응, 그래.
(3) A: 네 친구들은 컴퓨터 게임을 하니?
B: 아니, 그렇지 않아.
2 그 돌고래는 높이 뛰어오르니?

REVIEW TEST

01 ③ 02 ② 03 ④ 04 ④ 05 ⑤ 06 ③ 07 ③
08 ① 09 ③ 10 ② 11 ⑤ 12 ③
13 (1) chopsticks (2) special (3) drive
14 A Do B they don't
15 (1) 너는 다가오는 방학에 무슨 계획이 있니?
(2) 우리는 다른 나라의 문화와 관습을 존중해야 한다.

해석 및 해설

01 오늘은 일요일이어서 너는 오늘 학교에 갈 필요가 없다.
02 네 누나는 컴퓨터가 있니?
03 A: 그 소년들은 사과를 좋아하니?
04 ① 너는 먹기 전에 손을 씻어야 한다.
② 그는 나를 사랑하니?
③ 그는 타이를 맬 필요가 없다.
⑤ 그들은 영어를 배우니?

[05-06]
샘 안녕, 미나. 어디에 가니?
미나 안녕, 샘. 나는 쇼핑몰에 가고 있어.
샘 뭐 때문에?
미나 나는 거기서 한복을 빌릴 거야.
샘 한복이 뭐야?
미나 그건 한국 전통 옷이야.
나는 이번 일요일 삼촌 결혼식에 그걸 입을 거야.
샘 오, 알겠어.
너랑 함께 쇼핑몰에 가도 되니?
네가 한복 입은 것을 보고 싶어.
미나 물론이지. 괜찮아.

07 한국에서는 사람들이 반찬들과 함께 밥을 먹지만 서양에서는 반찬을 먹지 않는다.
08 자르는 도구
09 그는 먹을 때 포크와 나이프를 사용한다.
10 나는 내일 한국으로 여행을 갈 것이다. 나는 무척 신난다.
11 길을 건널 때 조심해라.
13 (1) 그는 젓가락을 잘 사용하지 못한다.
(2) 나는 이번 주말에 특별한 계획이 없다.
(3) 나를 집에 태워줄 수 있나요?
14 A: 네 친구들은 중국어를 배우니?
B: 아니, 그렇지 않아.

WORD MASTER

01 시상식	02 젓가락	03 나라
04 건너다	05 문화	06 관습
07 신나는	08 축제	09 행사, 사건
10 존중하다	11 특별한	12 길, 거리
13 교통	14 여행	15 다가오는

Chapter 6 장소

UNIT 1 박물관

There is a museum in my town.
내 동네에는 박물관이 있어요.

I visited the museum with my family last Saturday.
나는 가족과 지난 토요일 그 박물관을 방문했어요.

The museum is quite big and has exhibition rooms on the 2nd and 3rd floors.
박물관은 매우 크고, 2층과 3층에 전시실이 있어요.

Each room displays great artworks such as paintings, sculptures, potteries, and jewelry. 각 전시실에는 그림, 조각, 도자기, 보석 같은 위대한 예술품들이 있어요.

We were excited to see different kinds of artworks.
우리는 다양한 예술품들을 보고 흥분했어요.

My sister and I were surprised to see the huge skeleton of a dinosaur.
여동생과 나는 거대한 공룡 뼈대를 보고 놀랐어요.

Photos were not allowed in the museum, so I couldn't take pictures of the paintings and the sculptures.
박물관에서 사진촬영이 허용되지 않아서 그림과 조각품의 사진을 찍을 수 없었어요.

But I had a wonderful experience at the museum.
그러나 나는 박물관에서 멋진 경험을 했어요.

The museum is indeed a storehouse of knowledge. 박물관은 정말로 지식의 창고예요.

READING CHECK

1 ⑤ 2 ② 3 ② 4 ⑤

WORD CHECK

1 ② 2 (1) jewelry (2) excited (3) surprised
3 ② 4 ④

해석 및 해설

1 비가 오고 있었기 때문에 우리는 나갈 수가 없었다.

2 (1) 그 남자는 보석을 팔고 있다.
(2) 나는 새 컴퓨터를 사게 되어 신난다.
(3) 그는 그 소식을 듣고 매우 놀랐다.
3 수백만 년 전에 지구에 살았던 커다란 파충류
4 값비싼 금속으로 만들어진 목걸이, 반지, 또는 팔찌

GRAMMAR TIME

1 (1) 그녀의 사무실은 2층에 있다.
(2) 나는 내 직업을 바꾸기를 원한다.
(3) 너는 내일 밤에 한가하니?

UNIT 2 한국

The name of my country is Korea.
내 나라의 이름은 한국이에요.
Korea is in Northeast Asia.
한국은 북동 아시아에 있어요.
Korea is a country rich in culture and heritage. 한국은 문화와 유산이 풍부한 나라예요.
Korea is a country with a long history.
한국은 긴 역사를 지닌 나라예요.
Korea is known for its beautiful scenery and historic sites.
한국은 아름다운 풍경과 역사적 장소들로 유명해요.
Koreans use their own alphabet called Hangul.
한국인들은 한글이라는 그들의 문자를 사용해요.
It is one of the most efficient alphabets in the world.
그것은 세계에서 가장 효율적인 문자들 중 하나예요.
Korea is a very developed country and has many big cities.
한국은 매우 발달한 나라고 많은 대도시들이 있어요.
Seoul is the capital of Korea.
서울은 한국의 수도예요.
Korea hosted the Summer Olympic games in 1988 and the Winter Olympic games in 2018. 한국은 1988년 하계 올림픽과 2018년 동계 올림픽을 개최했어요.
Korea also hosted the World Cup games in 2002. 한국은 또한 2002년 월드컵도 개최했어요.
I am proud of my country.
나는 내 나라가 자랑스러워요.

READING CHECK

1 ⑤ 2 ② 3 ④ 4 in Northeast Asia

해석 및 해설
3 한글은 매우 효율적인 언어다.
4 A: 한국은 어디에 위치해 있니?

WORD CHECK

1 ④ 2 (1) rich (2) alphabet (3) country 3 ② 4 ③

해석 및 해설
2 (1) 몇몇 사람들은 정말로 부유하다.
(2) 영어 알파벳은 26자다.
(3) 캐나다는 매우 큰 나라다.
3 커다란 마을
4 봄과 가을 사이의 계절

GRAMMAR TIME

1 ⑤ 2 (1) her (2) their

해석 및 해설
1 그들은 _______ 고양이를 돌본다.
*명사 앞에는 소유격이 올 수 있습니다.

UNIT 3 호텔

We stayed at a hotel last week.
우리는 지난주에 호텔에 머물렀어요.
The hotel was located near the beach.
호텔은 해변 근처에 위치해 있었어요.
Our room had twin beds, a telephone, a TV, a sofa, and an air conditioner.
우리 방은 트윈 베드와 전화, TV, 소파 그리고 에어컨이 있었어요.
We could see the ocean view from our room. 우리는 방에서 바다 전망을 볼 수 있었어요.
The room was clean, and the beds were very comfortable.
그 방은 깨끗했고 침대들은 매우 편안했어요.
There was a large indoor swimming pool at the hotel.
호텔에는 커다란 실내 수영장이 있었어요.

We entered the swimming pool for free, and the hotel provided beach towels for us. 우리는 무료로 수영장에 들어갔고 호텔은 우리에게 비치 타월을 제공했어요.

The housekeeper cleaned the room every day. 객실 매니저는 방을 매일 청소했어요.

The staff were all very friendly and kind, and the food was really good. 직원들은 모두 매우 다정하고 친절했고 음식은 정말로 좋았어요.

We had a great time at the hotel.
우리는 호텔에서 멋진 시간을 보냈어요.

Thank you very much for your hospitality during our stay last week. 지난주 우리가 머문 동안 여러분들의 호의에 무척 감사해요.

READING CHECK

1 ⑤ 2 ③ 3 ⑤ 4 ①

해석 및 해설

4 그 음식은 정말 맛있었다.
① 음식은 어땠니?
② 음식은 어디에 있었니?
③ 음식은 무엇이었니?
④ 너는 언제 음식을 먹니?
⑤ 네가 좋아하는 음식은 뭐니?

WORD CHECK

1 ② 2 ③ 3 ③ 4 ④

해석 및 해설

3 두껍고 부드러운 천 조각
4 바다 옆 모래가 있는 지역

GRAMMAR TIME

1 (1) unhappy (2) unkind (3) unable (4) uncomfortable (5) unnecessary

REVIEW TEST

01 ④ 02 ⑤ 03 ③ 04 ⑤ 05 ② 06 ② 07 ④
08 ① 09 ② 10 ① 11 ④ 12 ④
13 (1) located (2) mobile phone (3) ocean
14 Kevin's piano 15 (1) 한국은 또한 2002년 월드컵을 개최했다. (2) 그 방은 깨끗했고 침대는 매우 편안했다.

해석 및 해설

03 *un이 붙어서 반대 의미를 만들고 있습니다.
04 ① 나는 네 연필을 가지고 있지 않다.
② 그것은 나의 아버지의 자동차가 아니다.
③ 네 안전벨트를 매라.
④ 그녀는 그녀의 아빠를 돕는다.
*it의 소유격은 its입니다.

[05-06]
나는 친구들과 함께 자주 박물관에 방문한다.
박물관은 2층에 전시회장이 있다.
그 전시회장에는 많은 훌륭한 예술품들이 있다.
우리는 그림들과 조각들을 볼 수 있다.
우리는 전시회장에서는 조용히 해야 한다.
박물관에서는 핸드폰 사용이 금지되어 있다.
여러분들은 표를 살 필요가 없다.
박물관 입장료는 무료다.

07 여러분들은 박물관에서 핸드폰 사용이 허락되지 않는다.
08 누군가에게 말할 때 사용하는 장비
09 우리는 발코니에서 바다 전망을 볼 수 있었다.
10 우리 축구팀이 오늘 잘해서 나는 우리 선수들이 자랑스럽다.
11 한국은 1988년에 하계 올림픽을 개최했다.
13 (1) 그 박물관은 서울에 위치해 있다.
(2) 나의 핸드폰 배터리가 다됐다.
(3) 바다에는 많은 물이 있다.

WORD MASTER

01 허락하다	02 예술품	03 편안한
04 전시하다	05 효율적인	06 전시회
07 다정한	08 유산	09 실내의
10 지식	11 제공하다	12 풍경, 경치
13 조각	14 뼈대	15 창고

WORKBOOK Answers

Chapter 1

Unit 01 Dragonflies

1 01 river 02 pond 03 wing 04 hunter
05 mosquito 06 human

2 01 ③ 02 ④

3 01 ⓑ 02 ⓐ 03 ⓒ

4 ②

5 01 잠자리들은 강이나 시내, 연못 근처에서 산다.
02 지구에는 대략 4천 종류의 잠자리가 있다.

해석 및 해설

4 그는 약 2년 동안 영어공부를 했다.
① 나는 그것에 대해 말하고 싶지 않다.
② 그 나무는 약 10미터 높이다.
③ 우리는 우주에 대해 배울 것이다.
④ 이 책은 공룡에 관한 이야기이다.
⑤ 그녀는 그 소문에 대해 들었다.

Unit 02 Birds, Mammals, and Insects

1 01 bee 02 drink 03 land 04 mammal
05 feather 06 shell

2 01 ① 02 ③

3 01 ⓑ 02 ⓐ 03 ⓒ

4 01 hard 02 late 03 hard

5 01 그들은 알을 낳고 그 알은 단단한 껍데기가 있다.
02 곤충은 6개의 다리가 있고 대부분의 곤충은 알에서 부화한다.

Unit 03 Facts About Our Teeth

1 01 forget 02 digest 03 permanent
04 talk 05 bone 06 children

2 01 ⑤ 02 ④

3 01 ⓒ 02 ⓑ 03 ⓐ

4 01 heavier 02 tallest 03 larger
04 smaller

5 01 치아를 건강하게 관리하는 법을 아니?
02 식사 후에 양치하는 것도 잊지 마라.

해석 및 해설

4 01 이 상자가 저 상자보다 더 무겁다.
02 그는 우리 학교에서 가장 키가 큰 학생이다.
03 나의 방은 그녀의 방보다 더 크다.
04 그 개는 그 호랑이보다 더 작다.

Chapter 2

Unit 01 Halloween

1 01 witch 02 ghost 03 October 04 adult
05 pumpkin 06 shout

2 01 ② 02 ①

3 01 ⓐ 02 ⓒ 03 ⓑ

4 01 대부분의 학생들이 버스를 타고 학교에 간다.
02 야구는 내가 가장 좋아하는 운동이다.
03 서울은 한국에서 가장 유명한 도시이다.

5 01 우리는 매년 10월 31일에 할로윈을 축하한다.
02 할로윈은 아이들과 어른 모두에게 재미있고 신난다.

Unit 02 Parents' Day

1 01 heart 02 draw 03 endless 04 thank
05 letter 06 envelop

2 01 ⑤ 02 ④

3 01 ⓑ 02 ⓒ 03 ⓐ

4 01 They aren't[are not] singing a song on stage.
02 My friends aren't[are not] playing baseball now.
03 Kevin isn't[is not] washing the dishes.

5 01 책상 위에는 종이, 펜, 크레용이 있다.
02 카드 안쪽에 민수는 부모님께 짧은 편지를 쓴다.

해석 및 해설

4 01 그들은 무대에서 노래하고 있다.
02 내 친구들은 지금 야구를 하고 있다.
03 케빈은 설거지를 하고 있다.

Unit 03 My First Day

1 01 fresh 02 enter 03 approach
04 nervous 05 memory 06 introduce

2 01 ④ 02 ⑤

3 01 ⓒ 02 ⓑ 03 ⓐ

4 01 can / swim 02 can / fix
03 cannot make 04 can't / speak

5 01 나는 2학년 때 새 학교로 전학 왔다.
02 우리는 교무실에 들어갔고 아빠는 선생님 중 한 분에게 서류를 제출했다.

Chapter 3

Unit 01 Making Pizza

1 01 mushroom 02 cheese 03 delicious
04 cut 05 slice 06 spread

2 01 ④ 02 ③

3 01 ⓒ 02 ⓑ 03 ⓐ

4 01 is going to / practice
02 are going to / wash
03 are not going to / play
04 am going to / buy

5 01 우리는 토마토 소스, 토마토, 버섯, 살라미(소시지) 그리고 치즈가 필요하다.
02 피자를 8조각으로 자르자.

해석 및 해설

4 01 데이비드는 피아노 연습을 할 것이다.
02 존과 나는 세차를 할 것이다.
03 우리는 축구를 하지 않을 것이다.
04 나는 과자를 좀 살 것이다.

Unit 02 Energy from Food

1 01 disease 02 protein 03 vegetable
04 rice 05 problem 06 lamb

2 01 ④ 02 ①

3 01 ⓑ 02 ⓒ 03 ⓐ

4 01 can't 02 he can 03 you

5 01 음식은 우리가 자라게 돕고 질병으로부터 우리를 보호한다.
02 음식에는 지방, 단백질, 비타민이나 미네랄과 같은 필수 영양소가 들어 있다.

해석 및 해설

4 01 A: 너는 중국어를 할 수 있니?
02 A: 네 동생은 피아노를 칠 수 있니?
03 A: 지금 집에 가도 되나요?

Unit 03 Bibimbap

1 01 various 02 popular 03 mean
04 foreigner 05 mouth 06 consist

2 01 ③ 02 ②

3 01 ⓑ 02 ⓒ 03 ⓐ

4 01 tallest 02 best 03 most 04 longest

5 01 용어 "bibim"은 다양한 재료를 섞는 것을 의미하고 "bap"은 밥을 의미한다.
02 오늘 점심식사로 비빔밥을 먹는 거 어때?

해석 및 해설

4 01 그 타워가 나의 마을에서 가장 높은 건물이다.
02 가을은 독서하기 가장 좋은 계절이다.
03 그는 요즘 최고의 인기 있는 가수다.
04 그것은 세상에서 가장 긴 기차다.

Chapter 4

Unit 01 School Choir

1 01 joy 02 finish 03 perform 04 choir
05 conductor 06 stage

2 01 ⑤ 02 ②

3 01 ⓒ 02 ⓐ 03 ⓑ

4 01 lives with his parents
02 very angry with her
03 play baseball with my friends

5 01 그들은 학교 체육관에서 공연을 할 것이다.
02 마이크와 다른 합창단 단원들은 그들의 공연에 만족해 한다.

Unit 02 My Favorite Music

1 01 everywhere 02 listen 03 language
04 understand 05 awesome 06 creative

2 01 ② 02 ④

3 01 ⓑ 02 ⓐ 03 ⓒ

4 01 so 02 because 03 so 04 so

5 01 나는 특히 인터넷으로 케이팝 음악 영상을 보는 것을 좋아한다.
02 케이팝 가수들의 공연은 정말로 멋지다.

해석 및 해설

4 01 나는 감기에 결렸고 그래서 나는 병원에 갔다.
02 나는 감기에 걸렸기 때문에 병원에 갔다.
03 그 영화는 매우 재미있었다.
04 그녀는 꿀이 없어서 대신 설탕을 썼다.

Unit 03 Mozart

1 01 die 02 compose 03 talent 04 write
05 ill 06 travel

2 01 ⑤ 02 ④

3 01 ⓑ 02 ⓒ 03 ⓐ

4 01 Could I use your phone
02 Could you say that
03 He couldn't answer

5 01 그는 3살에 피아노와 바이올린을 연주할 수 있었다.
02 그는 유럽 전 지역을 그의 아버지와 여행했고 대중 앞에서 공연했다.

Chapter 5

Unit 01 Food Culture

1 01 chopsticks 02 respect 03 knife
04 western 05 culture 06 breakfast

2 01 ③ 02 ⑤

3 01 ⓒ 02 ⓑ 03 ⓐ

4 01 have to 02 have to 03 stay 04 have to

5 01 인도나 스리랑카 같은 몇몇 나라에서는 사람들이 손으로 먹는다.
02 모든 나라들은 그들의 고유한 음식 문화가 있다.

해석 및 해설

4 01 우리는 그 회의에 참여해야 한다.
02 여러분은 차를 탈 때는 안전벨트를 매야 한다.
03 그는 오랫동안 병원에 있어야 한다.
04 너는 점심을 가져올 필요는 없다.

Unit 02 Traditional Clothes

1 01 dress 02 traditional 03 want 04 rent
05 special 06 festival

2 01 ① 02 ②

3 01 ⓒ 02 ⓑ 03 ⓐ

4 02 Does / learn 02 Do / stay
03 Does / live

5 01 나는 이번 일요일 삼촌 결혼식에 그걸 입을 것이다.
02 너랑 함께 쇼핑몰에 가도 되니?

해석 및 해설

4 01 그는 영어를 배운다.
02 그들은 호텔에 머문다.
03 메리는 런던에 산다.

Unit 03 Trip to Hong Kong

1 01 excited 02 careful 03 cross
04 traffic 05 vacation 06 interesting

2 01 ③ 02 ②

3 01 ⓐ 02 ⓒ 03 ⓑ

4 01 Does / doesn't 02 Does / does
03 Do / don't

5 01 너는 다가오는 방학에 어떤 계획이 있니?
02 홍콩의 교통 시스템은 한국과 다르다.

해석 및 해설

4 01 A: 그녀는 영어를 배우니? B: 아니, 그렇지 않아.
02 A: 네 언니는 스마트폰이 있니? B: 응, 그래.
03 A: 네 친구들은 야구하는 거 좋아하니?
B: 아니, 그렇지 않아

Chapter 6

Unit 01 Museum

1 01 jewelry 02 display 03 sculpture
04 experience 05 dinosaur 06 museum

2 01 ① 02 ②

3 01 ⓑ 02 ⓒ 03 ⓐ

4 01 second 02 break 03 order

5 01 박물관은 매우 크고, 2층과 3층에 전시실이 있다.
02 여동생과 나는 거대한 공룡 뼈대를 보고 놀랐다.

Unit 02 Korea

1 01 scenery 02 efficient 03 country
04 winter 05 developed 06 history

2 01 ② 02 ②

3 01 ⓒ 02 ⓐ 03 ⓑ

4 01 my 02 father's 03 their 04 our

5 01 한국은 아름다운 풍경과 역사적 장소들로 유명하다.
02 한국은 또한 2002년 월드컵도 개최했다.

Unit 03 Hotel

1 01 beach 02 clean 03 indoor 04 friendly
05 provide 06 twin

2 01 ② 02 ③

3 01 ⓒ 02 ⓐ 03 ⓑ

4 01 known 02 unlucky 03 unnecessary

5 01 그 방은 깨끗했고 침대들은 매우 편안했다.
02 지난주 우리가 머문 동안 여러분들의 호의에 무척 감사하다.

Memo

Memo